MAURICE MAETERLINCK.

Morceaux choisis

❋

Par Maurice Maeterlinck

*Introduction par
Mme Georgette Leblanc*

Paris
Nelson, Éditeurs
61, rue des Saints-Pères
Londres, Édimbourg, et New-York

COLLECTION NELSON

Publiée sous la direction de
CHARLES SAROLEA,
Docteur ès lettres : Directeur de la Section
française à l'Université d'Édimbourg.

INTRODUCTION

PAR
MME. GEORGETTE LEBLANC.

" Tout ce qu'on peut dire en s'efforçant de faire le
portrait intime d'un être, a écrit Maeterlinck, ne
ressemble que bien imparfaitement à l'image plus
précise que nos pensées tracent en notre esprit dans
l'instant que nous en parlons......Le personnage
authentique et total ne surgit de l'ombre qu'au
contact immédiat de deux vies."

Pourtant on se défie un peu du jugement de nos
proches. On trouve qu'ils ne sont point qualifiés
pour parler de nous. On croit qu'ils se trompent
parce qu'ils aiment, qu'ils ne voient pas clair parce
qu'ils voient trop ! Qui nous discerne alors ? Les
indifférents qui passent ou les amis qui demeurent
et dont chacun nous regarde à travers sa propre
pensée comme à travers une vitre de couleur différente ?

De même qu'il faut avoir vécu longtemps dans un pays pour en connaître tous les aspects, il faut avoir longuement partagé une vie pour commencer à la comprendre, pour pénétrer au delà de cette première connaissance extérieure qui généralement ne révèle rien de l'âme véritable. Il nous faut des mois, des années pour faire simplement le tour d'un caractère ; car s'il est vrai que l'on juge un être d'après les actes qu'il fait, on le connaît d'après ceux qu'il ne fait pas.

C'est pourquoi au seuil de ce livre, avant de noter la biographie de Maurice Maeterlinck, il m'a semblé utile de dire quelques mots sur lui-même, et sur son caractère.

Ce n'est pas sans inquiétude que nous interrogeons la vie privée de ceux dont les œuvres répandirent en notre âme les premières lueurs de vérité et qui furent par cela même, nos guides, nos maîtres et nos dieux. Nous avons toujours le juste désir d'apprendre qu'ils sont tels que nous les rêvions. Nous craignons une déception, un défaut d'équilibre, quelque chose qui amoindrirait la figure dessinée par notre imagination, la statue dressée par nos rêves......

Ceux qui connaissent Maeterlinck sont au contraire heureusement surpris de l'harmonie absolue qui règne entre ses œuvres et sa vie.

Certes, le génie bienveillant qui sourit à son arrivée en ce monde ordonna sa nature primitive, imposant à ses instincts et à ses forces une direction favorable aux dons qu'il lui concédait. Mais de toute sa volonté, de toute sa conscience, Maeterlinck acheva plus tard l'admirable tâche préparée par le destin, si bien que l'homme et l'œuvre se rejoignent aujourd'hui et semblent se mêler en un parfait accord.

Par une sage ordonnance il a réduit ses faiblesses, canalisé ses forces, équilibré ses facultés, multiplié ses énergies, discipliné ses instincts. Il demeure à l'abri d'une volonté sereine qui écarte tout ce qui pourrait troubler sa solitude ; tant il est vrai que nous obtenons peu à peu la complicité des choses que nous avons su dominer. On dirait que toutes les puissances mystérieuses qu'il a si souvent pressenties dans ses écrits ont tissé entre lui et le monde un voile impénétrable qui lui laisse voir la vérité sans permettre que son repos en soit altéré. Dans cette existence assez immobile pour demeurer attachée aux seuls mouvements de la pensée, chaque semaine est comparable à un épi de blé dont les jours identiques sont les graines et dont les livres forment la puissante récolte.

Est-ce à dire qu'il repousse toutes les manifestations de la vie ? Non, il accueille volontiers la joie qui s'offre à lui, mais ne l'appelle point et elle trouve en son jugement une balance si équitable, que son poids léger n'est pas même celui d'une fleur tombée parmi les pensées graves qui habitent son esprit.

Je l'ai vu se frayer un chemin paisible à travers bien des circonstances difficiles, aller et revenir avec le même sourire, là où d'autres partent en chantant et reviennent en pleurant. Quoique la vie de Maeterlinck soit une de celles qui semblent le plus dénuées d'incidents, ceux-ci guettent son repos comme ils guettent le repos de tous les hommes ; mais jamais on n'eut à ce point le réconfortant spectacle de voir les évènements asservis et domestiqués par la conscience et la volonté.

Je m'en voudrais d'enfermer l'existence de Maeterlinck dans un récit minutieux. D'ailleurs, lorsque je vous aurai dit qu'il passe l'été en Normandie et l'hiver dans le midi, qu'il se lève tôt, visite ses fleurs, ses fruits, ses abeilles, sa rivière, ses grands arbres, se met au travail, puis revient au jardin ; qu'après le repas, il se livre aux sports qu'il affectionne : le canotage, l'automobile, la bicyclette ou la marche ; que, chaque soir, le rayonnement de la lampe éclaire ses lectures, et qu'il se couche de bonne heure, vous saurez peu de chose, car ces petites habitudes ne sont que les coupes plus ou moins vastes qui recueillent la substance même d'une vie.

Quelle est chez Maeterlinck, la nature intime de cette substance ? C'est la méditation. En somme, il travaille peu, si nous entendons par travail les seuls instants de production, car il lui semblerait puéril de s'attarder trop longtemps à la tâche. Rien ne serait plus contraire à ses idées et à ses goûts. Mais je ne connais pas d'être plus studieux si l'on songe qu'en dehors des deux heures précises qu'il accorde à sa besogne quotidienne, aucune distraction ne vient interrompre l'unité attentive, presque monotone de ses jours. Il nous donne un exemple frappant de cette sorte d'oisiveté active dans laquelle s'élabore toute œuvre profonde et qui est vraiment l'espace, le ciel de notre vie morale, la lumière qui fait éclore ses germes, éclater ses promesses. C'est ainsi que se prépare, au cours de la promenade, pendant les plaisirs silencieux, le travail qu'il réalise si étrangement vite chaque matin.

Quand on peut suivre l'existence de Maeterlinck pas à pas, on a la révélation du rôle formidable que joue l'inconscient en notre âme. Son œuvre n'est pas seulement le résultat d'une volonté cérébrale, mais elle émane d'une force perpétuellement en mouvement, toujours en éveil, qui agit à son insu, en dehors de lui, et qui semble prendre une voix humaine pour lui dicter les pages si profondes qu'il a écrites sur la part même de cet inconscient dans notre pensée.

N'y a-t-il pas une preuve de cette force mystérieuse dans la discipline presque automatique qui régit tout naturellement son activité ? Durant bien des années de vie commune, je ne l'ai jamais vu se contraindre.

Il semble accomplir son œuvre sans peine ni effort, avec la simplicité d'un enfant qui abandonne ses jeux à l'heure prescrite et les reprend aux heures permises, sans souci de la page commencée.

Chaque matin, au moment de la réalisation, une fenêtre s'ouvre sur l'espace, sur l'humanité, sur les vérités éternelles, et, quand elle se referme, le travail ne s'arrête point cependant, il continue au delà des gestes, durant la promenade, l'examen des ruches ou la visite des fleurs. Il continue, et les horizons de la pensée s'éclairent, les vérités se rapprochent, pareilles à ces bonnes fées qui parfois traversant les ténèbres du sommeil nous offrent au réveil la solution du problème que notre conscience avait cherché en vain.

Maurice Maeterlinck est né à Gand le 29 août 1862 d'une très ancienne famille flamande qui remonte au quatorzième siècle. Son enfance se passe à Oostacker au bord du large canal maritime qui relie Gand à Terneuzen, petite ville hollandaise. Les navires de mer semblent glisser dans le jardin étendant leur ombre majestueuse sur les allées pleines de roses et d'abeilles. Ainsi l'âme du petit garçon à la fois joyeux et grave, turbulent et rêveur s'éveille entourée de toutes les choses qui solliciteront un jour les études et la vie du poète......La campagne, la moisson, les fleurs, les fruits, les ruches, le fleuve et surtout, seuls évènements de la vie familiale, les

grands navires qui passent lentement, chargés d'inconnu apportant du large les pensées des confins du
monde.

Si les choses pour environner l'enfant semblent
alors précéder le destin, plus tard, nous verrons avec
quelle complaisance, elles viennent rejoindre l'œuvre,
illustrant pour ainsi dire les jours du poète, de toutes
les réalités jadis évoquées dans ses drames. L'Abbaye
de Saint-Wandrille où Maeterlinck passe tous les
étés est vraiment la réalisation des châteaux imaginaires dont le poète encadra l'aventure des Maleine,
des Mélisande, des Alladine, des Ygraine. Rien ne
manque au décor. Les ruines que baigne la rivière,
la fontaine, le jet d'eau, les terrasses, les corridors
innombrables, les portes monumentales, les bois
séculaires, le cloître, la chapelle et les souterrains.

Mais nous ne pouvons en cette courte notice saluer
comme il le faudrait les faveurs du destin qui semblent constamment enguirlander la route du philosophe et n'ont point peu contribué à son évolution
vers la lumière. Un seul mauvais souvenir dans
ces années d'heureuse sagesse, une seule rancune qui
obscurcit les belles heures de l'adolescence, Maeterlinck ne pardonnera jamais aux pères Jésuites du
collège de Sainte-Barbe leur étroite tyrannie......Je
lui ai souvent entendu dire qu'il ne recommencerait
pas la vie au prix de ses sept années de collège.
Il n'y a selon lui qu'un crime que l'on ne peut pas

pardonner, c'est celui qui empoisonne les joies et détruit le sourire d'un enfant.

L'éducation achevée, Maeterlinck commence son droit. Ses parents en veulent faire un avocat ; au collège on a remarqué en lui de fâcheuses aptitudes littéraires qu'il importe de détruire. Le jeune homme a son but, mais il sait utiliser l'inévitable. Il accepte de terminer ses études à Paris, en vérité il y va chercher l'encouragement nécessaire à sa volonté. Dans la capitale ses goûts s'affirment, ses rêves se précisent. Il lit, fréquente les musées, rencontre des artistes, connaît des poètes. La curieuse figure de Villiers de l'Isle Adam produit sur sa jeunesse une impression qui domine encore ses souvenirs. Quand il revient à Gand, sa vocation est fixée et tout en suivant le chemin tracé par la volonté paternelle, sa pensée entrevoit déjà l'espace qui lui est nécessaire ; il est inscrit au barreau de sa ville natale, il plaide, il apporte à ses plaidoiries l'esprit extrêmement précis, le grand sens pratique qui lui sont particuliers et pendant ce temps, il écrit, se passionne de plus en plus pour la littérature et avec ses vieux amis Grégoire Leroy et le grand poète Charles Van Lerberghe à qui l'unissait une affection née aux premières heures de l'enfance il collabore à plusieurs petites revues.

Il fait paraître en 1889 un recueil de vers intitulé *Serres Chaudes*. On y peut trouver en germe bien des qualités qui plus tard s'épanouiront dans ses œuvres. Ces petits poèmes lourds d'angoisses et d'inquiétudes apportent avec eux l'atmosphère étrange qui enveloppera peu après les héros de son premier drame : *La Princesse Maleine*, publié en 1890 et sur lequel Mirbeau avec sa fougue et sa générosité bien connues écrivit un article qui révéla soudain le jeune auteur belge au monde entier.

Maeterlinck continue à partager la vie familiale car il sait s'abstraire de tout ce qui l'entoure. Il est complètement étranger à la forme de son existence et restera ainsi jusqu'au jour où cette forme pourra s'adapter parfaitement à ses goûts.

Après *la Princesse Maleine* paraissent successivement, *L'Intruse*, *Les Aveugles*, les *Sept Princesses*, *Pelleas et Melisande*, *Alladine et Palomides*, *Intérieur*, et *La Mort de Tintagiles*, drames d'angoisse et d'inquiétude dans lesquelles "la présence infinie, ténébreuse hypocritement active de la mort remplit tous les interstices du poème et où il n'est répondu au problème de l'existence que par l'énigme de son anéantissement."

Jusqu'ici, nous vivons avec Maeterlinck dans l'ombre de toutes les grandes puissances incompréhensibles et fatales. Courbés sous le poids de leur destin, ses héros vont et viennent à tâtons dans l'obscurité ; ils sont si négatifs qu'on ne les perçoit que par la force qui les détruit. Seul le malheur fait jaillir de leur âme quelques étincelles et ce n'est qu'à l'instant où la mort les frappe qu'ils semblent s'apercevoir qu'ils respirent.

Parallèlement à ces drames paraissent des traductions—*Ruysbroeck l'admirable*, *Les Disciples à Sais*, *Les Fragments de Novalis*, *L'Annabella* de John Ford, et enfin son premier volume d'essais philosophiques : *Le Trésor des Humbles*, qui ferme le cycle commencé par les *Serres Chaudes*, nous faisant entrevoir pour la première fois une lueur d'espoir, une petite clarté qui grandira bientôt, mais qui tremble encore au fond d'un gouffre.

Il appartenait à Aglavaine, à celle qui fût dans l'œuvre de Maeterlinck la première héroïne consciente, d'aviver cette flamme et de pencher sa raison sur cet abîme d'inquiétude. " Elle m'apporte, écrivait le poète dans une lettre que j'ai sous les yeux, elle m'apporte une atmosphère nouvelle, une volonté de bonheur, une force d'espérance. Si elle ne triomphe pas tout de suite de la fatalité qui pèse encore sur la petite Sélysette, du moins elle l'éclaire et désormais sa lumière va diriger mes recherches dans une voie sereine, heureuse et consolante."

C'est ici en effet que l'évolution de Maeterlinck s'impose à tous ceux qui étudient son œuvre. Comme si nous passions soudain du nord au midi, les brumes se déchirent, le ciel devient pur, la lumière éclate, la terre est toute brodée de fleurs, ses merveilles nous apparaissent et maintenant, des silhouettes

héroïques se découpent dans la clarté qui tombe
d'aplomb sur leur front. Elles naissent d'un monde
plus courageux dont la pensée n'appartient plus
tout entière aux vérités désolantes qui ordonnaient
l'inaction et la désespérance, elles sont modelées par
des mains qui ne tremblent plus, conçues par un esprit
que le doute retient, mais n'enchaine point. Les voiles,
qui longtemps ont dérobé la volonté secrète, sont
tombés, et si la sagesse soulève encore des angoisses,
il semble à présent que c'est la lumière triomphante
qui fouille l'ombre et découvre de nouveaux pleurs.

   Le théâtre de Maeterlinck est étroitement lié à sa
philosophie et ses héros ne sont point seulement
ceux du monde immédiat que chaque drame met
en action, mais ils précisent, ils éclairent la marche
de sa philosophie. C'est pourquoi nous les voyons
surgir en des pays différents, peuplés de volontés et
d'idées différentes. Et c'est ainsi que nous apercevons
d'abord, tout au fond des brumes, issues des
désirs angoissés des *Serres Chaudes* les petites princesses
mortes, ensevelies dans les flammes d'argent
de leur chevelure féerique, puis dans une lumière
grandissante *Aglavaine* nous conduit du *Trésor
des Humbles* au seuil de *Sagesse et Destinée*. *Monna
Vanna* domine *Le Temple Enseveli*, *Ariane* s'en élance
armée de sa clef d'or. Dans le même rayon de clarté
apparaissent bientôt *La Vie des Abeilles*, *Joyzelle*,
Le double Jardin, *Marie Magdeleine* et enfin voici

L'Intelligence des Fleurs, féerie de la nature mêlée
à celle de *L'Oiseau Bleu*, féerie de la pensée......

Il ne m'appartient pas de critiquer ni même de
juger l'œuvre de Maeterlinck. J'en ai indiqué la
marche en quelques traits ; on peut la suivre comme
on suit un chemin d'abord un peu sombre, mais
qui s'élargit, s'éclaire et s'ouvre sur l'espace. Et
quelle que soit l'opinion que l'on en ait, on doit, il
me semble, se réjouir d'une évolution aussi heureuse,
aussi consolante. S'il est vrai que dans ses premiers
écrits nous avons vu ses héros impitoyablement
soumis à des forces aveugles, irrémédiablement
courbés sous le poids des tourments, si l'inconnu a
pris la forme de la mort, si tout au fond des ténèbres,
dans une injustice sournoise, nous avons discerné
l'idée du Dieu chrétien mêlée à celle de la fatalité
antique ; dans la deuxième partie de son œuvre,
le poète n'a pas remplacé les incertitudes nuisibles
par des certitudes illusoires. Il a su nous guider
sans mensonges dans une voie de sérénité, et nous
faire espérer sans promesses vaines. Il a su, en
regardant simplement la vie nous donner confiance en
elle, découvrant des beautés dans la plus humble des
joies et dans la plus misérable, de la noblesse dans la
plus médiocre. Sur un sommet, il a élevé un temple
de beauté d'amour et de vérité. Aucune porte n'en
défend l'entrée, aucune divinité éphémère ne l'habite.

MORCEAUX CHOISIS

DE

Maurice MAETERLINCK

TABLE.

LE TRÉSOR DES HUMBLES[1]

(I)

LE SILENCE

« SILENCE and Secrecy ! s'écrie Carlyle, il faudrait leur élever des autels d'universelle adoration. (Si ces jours étaient de ceux où l'on élève encore des autels.) Le silence est l'élément dans lequel se forment les grandes choses, pour qu'enfin elles puissent émerger, parfaites et majestueuses, à la lumière de la vie qu'elles vont dominer. Ce n'est pas seulement Guillaume le Taciturne, ce sont tous les hommes considérables que j'ai connus, et les moins diplomates et les moins stratégistes de ceux-ci, qui s'abstenaient de bavarder de ce qu'ils projetaient et de ce qu'ils créaient. Et toi-même, dans tes pauvres

---

(1) *Le Trésor des Humbles*, 1 vol., édit. du *Mercure de France*, 26, rue de Condé, Paris, 1896.

petites perplexités, essaie donc de *retenir ta langue durant un jour ;* et le lendemain, comme tes desseins et tes devoirs seront plus clairs ! Quels débris et quelles ordures ces ouvriers muets n'ont-ils pas balayés en toi-même, tandis que les bruits inutiles du dehors n'entraient plus ! La parole est trop souvent, non comme le disait le Français, l'art de cacher la pensée, mais l'art d'étouffer et de suspendre la pensée, en sorte qu'il n'en reste plus à cacher. La parole est grande, elle aussi ; mais ce n'est pas ce qu'il y a de plus grand. Comme l'affirme l'inscription suisse : *Sprechen ist silbern, Schweigen ist golden,* la parole est d'argent, et le silence est d'or, ou, comme il vaudrait mieux le dire : La parole est du temps, le silence de l'éternité.

« Les abeilles ne travaillent que dans l'obscurité, la pensée ne travaille que dans le silence, et la vertu dans le secret... »

Il ne faut pas croire que la parole serve jamais aux communications véritables entre les êtres. Les lèvres ou la langue peuvent représenter l'âme de la même manière qu'un chiffre ou un numéro d'ordre représente une peinture de Memling, par exemple, mais dès que nous avons vraiment *quelque chose à nous dire*, nous sommes *obligés* de nous taire ; et si, dans ces moments, nous résistons aux ordres invisibles et pressants du silence, nous avons fait une perte éternelle que les plus grands trésors de la sagesse humaine ne pourront réparer, car nous avons perdu l'occasion d'écouter une autre âme et de donner un instant d'existence à la nôtre ; et il y a bien des vies où de telles occasions ne se présentent pas deux fois...

Nous ne parlons qu'aux heures où nous ne vivons pas, dans les moments où *nous ne voulons pas* apercevoir nos frères et où nous nous sentons à une grande distance de la réalité. Et dès que nous parlons, quelque chose nous prévient que des portes divines se ferment quelque part. Aussi sommes-nous très avares du silence, et les plus imprudents d'entre nous ne se taisent pas avec le premier venu. L'instinct des vérités surhumaines que nous possédons tous, nous avertit qu'il est dangereux de se taire avec quelqu'un que l'on désire ne pas connaître ou que l'on n'aime point ; car les paroles passent entre les hommes, mais le silence, s'il a eu un moment l'occasion d'être actif, ne s'efface jamais, et la vie véritable, et la seule qui laisse quelque trace, n'est faite que de silence. Souvenez-vous ici, dans ce silence auquel il faut avoir recours encore, afin que lui-même s'explique par lui-même ; et s'il vous est donné de descendre un instant en votre âme jusqu'aux profondeurs habitées par les anges, ce qu'avant tout vous vous rappellerez d'un être aimé profondément, ce n'est pas les paroles qu'il a dites ou les gestes qu'il a faits, mais les silences que vous avez vécus ensemble ; car c'est la *qualité* de ces silences qui seule a révélé la *qualité* de votre amour et de vos âmes.

Je ne m'approche ici que du silence *actif*, car

il y a un silence *passif*, qui n'est que le reflet du sommeil, de la mort ou de l'inexistence. C'est le silence qui dort ; et tandis qu'il sommeille, il est moins redoutable encore que la parole ; mais une circonstance inattendue peut l'éveiller soudain, et alors c'est son frère, le grand silence actif, qui s'intronise. Soyez en garde. Deux âmes vont s'atteindre, les parois vont céder, des digues vont se rompre, et la vie ordinaire va faire place à une vie où tout devient très grave, où tout est sans défense, où plus rien n'ose rire, où plus rien n'obéit, où plus rien ne s'oublie...

Et c'est parce qu'aucun de nous n'ignore cette sombre puissance et ses jeux dangereux que nous avons une peur si profonde du silence. Nous supportons à la rigueur le silence isolé, notre propre silence ; mais le silence de plusieurs, le silence multiplié, et surtout le silence d'une foule est un fardeau surnaturel dont les âmes les plus fortes redoutent le poids inexplicable. Nous usons une grande partie de notre vie à rechercher les lieux où le silence ne règne pas. Dès que deux ou trois hommes se rencontrent, ils ne songent qu'à bannir l'invisible ennemi, car combien d'amitiés ordinaires n'ont d'autres fondements que la haine du silence ? Et si, malgré tous les efforts, il réussit à se glisser entre des êtres assemblés, ces êtres tourneront la tête avec inquiétude, du côté solennel des choses que l'on n'aperçoit pas, et puis ils s'en iront bientôt, cédant la place à l'inconnu, et ils s'éviteront à

l'avenir, parce qu'ils craignent que la lutte séculaire ne devienne vaine une fois de plus, et que l'un
d'eux ne soit de ceux, peut-être, qui ouvrent en
secret la porte à l'adversaire...

La plupart d'entre nous ne comprennent et
n'admettent le silence que deux ou trois fois dans
leur vie. Ils n'osent accueillir cet hôte impénétrable
que dans des circonstances solennelles, mais presque
tous, alors, l'accueillent dignement ; car les plus
misérables mêmes ont dans leur existence des moments où ils savent agir comme s'ils savaient déjà
ce que savent les dieux. Rappelez-vous le jour où
vous rencontrâtes sans terreur votre premier
silence. L'heure effrayante avait sonné ; et il venait
au devant de votre âme. Vous l'avez vu monter
des gouffres de la vie dont on ne parle pas, et des
profondeurs de la mer intérieure de beauté ou
d'horreur, et vous n'avez pas fui... C'était à un
retour, sur le seuil d'un départ, au cours d'une
grande joie, à côté d'une mort ou au bord d'un
malheur. Souvenez-vous de ces minutes où toutes
les pierreries secrètes se révèlent et où les vérités
endormies se réveillent en sursaut ; et dites-moi
si le silence, alors, n'était pas bon et nécessaire, si
les caresses de l'ennemi sans cesse poursuivi
n'étaient pas des caresses divines ? Les baisers du
silence malheureux — car c'est surtout dans le
malheur que le Silence nous embrasse — ne
peuvent plus s'oublier ; et c'est pourquoi ceux qui
les ont connus plus souvent que les autres valent

mieux que les autres. Ils savent seuls, peut-être, sur quelles eaux muettes et profondes repose la mince écorce de la vie quotidienne, ils sont allés plus près de Dieu, et les pas qu'ils ont faits du côté des lumières sont des pas qui ne se perdent plus ; car l'âme est une chose qui peut ne pas monter, mais qui ne peut jamais descendre...

« Silence, le grand Empire du silence, » s'écrie encore Carlyle — qui connut si bien cet empire de la vie qui nous porte — « plus haut que les étoiles, plus profond que le royaume de la Mort !... Le silence et les nobles hommes silencieux !... Ils sont épars çà et là, chacun dans sa province, pensant en silence, travaillant en silence, et les journaux du matin n'en parlent point... Ils sont le sel même de la terre, et le pays qui n'a pas de ces hommes ou qui en a trop peu n'est pas en bonne voie... C'est une forêt qui n'a pas de *racines*, qui est toute tournée en feuilles et en branches, et qui bientôt doit se faner et n'être plus une forêt... »

Mais le silence véritable, qui est plus grand encore et qu'il est plus difficile d'approcher que le silence matériel dont nous parle Carlyle, n'est pas un de ces dieux qui peuvent abandonner les hommes. Il nous entoure de tous côtés, il est le fond de notre vie sous-entendue, et dès que l'un de nous frappe en tremblant à l'une des portes de l'abîme, c'est toujours le même silence attentif qui ouvre cette porte.

Ici encore nous sommes tous égaux devant la

chose sans mesure ; et le silence du roi ou de l'esclave, en face de la mort, de la douleur ou de l'amour
a le même visage, et cache sous son manteau impénétrable des trésors identiques. Le secret de ce si-
lence-là, qui est le silence essentiel et le refuge inviolable de nos âmes, ne se perdra jamais, et si le
premier-né des hommes rencontrait le dernier
habitant de la terre, ils se tairaient de la même façon
dans les baisers, les terreurs ou les larmes, ils se
tairaient de la même façon dans tout ce qui doit
être entendu sans mensonges, et malgré tant de
siècles, ils comprendraient en même temps, comme
s'ils avaient dormi dans le même berceau, ce que
les lèvres n'apprendront pas à dire avant la fin du
monde...

Dès que les lèvres dorment, les âmes se réveillent et se mettent à l'œuvre ; car le silence est
l'élément plein de surprises, de dangers et de
bonheur, dans lequel les âmes se possèdent libre-
ment. Si vous voulez vraiment vous livrer à quelqu'un, taisez-vous : et si vous avez peur de vous
taire avec lui, — à moins que cette crainte ne soit
la crainte ou l'avarice auguste de l'amour qui
espère des prodiges — fuyez-le, car votre âme déjà
sait à quoi s'en tenir. Il est des êtres avec qui le
plus grand des héros n'oserait pas se taire, et des
âmes qui n'ont rien à cacher cependant tremblent
que certaines âmes les découvrent. Il en est d'autres
aussi qui n'ont pas de silence, et qui tuent le silence
autour d'eux ; et ce sont les seuls êtres qui passent

vraiment inaperçus. Ils ne parviennent pas à traverser la zone révélatrice, la grande zone de la lumière ferme et fidèle. Nous ne pouvons nous faire une idée exacte de celui qui ne s'est jamais tu. On dirait que son âme n'a pas eu de visage. « Nous ne nous connaissons pas encore, m'écrivait quelqu'un que j'aimais entre tous, nous n'avons pas encore osé nous taire ensemble. » Et c'était vrai ; déjà nous nous aimions si profondément que nous avions eu peur de l'épreuve surhumaine. Et chaque fois que le silence, ange des vérités suprêmes et messager de l'inconnu spécial de chaque amour, descendait entre nous, nos âmes à genoux semblaient demander grâce et implorer encore quelques heures de mensonges innocents, quelques heures d'ignorance ou quelques heures d'enfance... Et néanmoins il faut que son heure vienne. Il est le soleil de l'amour et il mûrit les fruits de l'âme, comme l'autre soleil les fruits de notre terre. Mais ce n'est pas sans raison que les hommes le redoutent; car on ne sait jamais quelle sera *la qualité* du silence qui va naître. Si toutes les paroles se ressemblent, tous les silences diffèrent, et la plupart du temps toute une destinée dépend de *la qualité* de ce premier silence que deux âmes vont former. Des mélanges ont lieu, on ne sait où, car les réservoirs du silence sont situés bien au-dessus des réservoirs de la pensée ; et le breuvage imprévu devient sinistrement amer ou profondément doux. Deux âmes admirables et d'égale puissance peuvent donner naissance à un silence hostile, et se feront dans les ténèbres une guerre sans merci, au lieu que l'âme d'un forçat *viendra se taire* divinement avec l'âme d'une vierge. On ne sait rien d'avance, et tout ceci se passe dans un ciel qui ne prévient jamais ; et c'est pourquoi les amants les plus tendres retardent bien souvent jusqu'aux dernières heures la solennelle entrée du grand révélateur des profondeurs de l'être...

C'est qu'ils savent aussi — car l'amour véritable ramène les plus frivoles au centre de la vie — c'est qu'ils savent aussi que tout le reste était jeux d'enfant tout autour de l'enceinte, et que c'est maintenant que les murailles tombent et que l'existence est ouverte. Leur silence vaudra ce que valent les dieux qu'ils renferment et s'ils ne s'entendent pas dans ce premier silence, leurs âmes ne pourront pas s'aimer, car le silence ne se transforme point. Il peut monter ou bien descendre entre deux âmes, mais *sa nature* ne changera jamais ; et jusqu'à la mort des amants, il aura l'attitude, la forme et la puissance qu'il avait au moment où, pour la première fois, il entra dans la chambre.

A mesure qu'on avance dans la vie, on s'aperçoit que tout a lieu selon je ne sais quelle entente préalable dont on ne souffle mot, à laquelle on ne pense même pas, mais dont on sait pourtant qu'elle existe quelque part, au-dessus de nos têtes. Le plus inefficace d'entre les hommes sourit, aux premières rencontres,

comme s'il était le vieux complice du destin de
ses frères. Et dans le domaine où nous sommes,
ceux-là mêmes qui savent parler le plus profondément sentent le mieux que les mots n'expri-
ment jamais les relations réelles et spéciales
qu'il y a entre deux êtres. Si je vous parle en ce
moment des choses les plus graves, de l'amour,
de la mort ou de la destinée, je n'atteins pas la
mort, l'amour ou le destin, et malgré mes efforts,
il restera toujours entre nous une vérité qui n'est
pas dite, qu'on n'a même pas l'idée de dire,
et cependant cette vérité qui n'a pas eu de
voix aura seule vécu un instant entre nous, et
nous n'avons pas pu songer à autre chose.
Cette vérité, c'est *notre vérité* sur la mort, le
destin ou l'amour ; et nous n'avons pu l'entrevoir
qu'en silence. Et rien, si ce n'est le silence,
n'aura eu d'importance. « Mes sœurs, dit
une enfant dans un conte de fées, vous avez
chacune votre pensée secrète et je veux la connaître. » Nous aussi nous avons quelque chose
que l'on voudrait connaître, mais elle se cache
bien plus haut que la pensée secrète ; c'est notre
silence secret. Mais les questions sont inutiles.
Toute agitation d'un esprit sur ses gardes devient même un obstacle à la seconde vie qui vit
dans ce secret ; et pour savoir ce qui existe réellement, il faut cultiver le silence entre soi, car
ce n'est qu'en lui que s'entr'ouvrent un instant les
fleurs inattendues et éternelles, qui changent

de forme et de couleur selon l'âme à côté de laquelle on se trouve. Les âmes se pèsent dans le silence, comme l'or et l'argent se pèsent dans l'eau pure, et les paroles que nous prononçons n'ont de sens que grâce au silence où elles baignent. Si je dis à quelqu'un que je l'aime, il ne comprendra pas ce que j'ai dit à mille autres peut-être ; mais le silence qui suivra, si je l'aime en effet, montrera jusqu'où plongèrent aujourd'hui les racines de ce mot, et fera naître une certitude silencieuse à son tour, et ce silence et cette certitude ne seront pas deux fois les mêmes dans une vie...

N'est-ce pas le silence qui détermine et qui fixe la saveur de l'amour ? S'il était privé du silence, l'amour n'aurait ni goût ni parfums éternels. Qui de nous n'a connu ces minutes muettes qui séparaient les lèvres pour réunir les âmes ? Il faut les rechercher sans cesse. Il n'y a pas de silence plus docile que le silence de l'amour : et c'est vraiment le seul qui ne soit qu'à nous seuls. Les autres grands silences, ceux de la mort, de la douleur ou du destin, ne nous appartiennent pas. Ils s'avancent vers nous, du fond des événements, à l'heure qu'ils ont choisie, et ceux qu'ils ne rencontrent pas n'ont pas de reproches à se faire. Mais nous pouvons sortir à la rencontre des silences de l'amour. Ils attendent nuit et jour au seuil de notre porte et ils sont aussi beaux que leurs frères. Grâce à eux, ceux

qui n'ont presque pas pleuré peuvent vivre avec
les âmes aussi intimement que ceux qui furent
très malheureux ; et c'est pourquoi ceux qui
aimèrent beaucoup savent aussi des secrets que
d'autres ne savent pas ; car il y a, dans ce que
taisent les lèvres de l'amitié et de l'amour
profonds et véritables, des milliers et des milliers
de choses que d'autres lèvres ne pourront jamais
taire...

LA SAGESSE ET LA DESTINÉE [1]

(Fragments)

(VI)

« Leur destinée voulait sans doute qu'ils fussent opprimés par les hommes ou par les événements partout où ils se planteraient », dit un auteur en parlant des héros de son livre. Il en est ainsi de la plupart des hommes. Il en est ainsi de tous ceux qui n'ont pas appris à séparer leur destinée extérieure de leur destinée morale. Ils sont semblables au petit ruisseau aveugle que je contemplais un matin du haut d'une colline. Tâtonnant, se débattant, trébuchant et chancelant sans cesse au fond d'une vallée obscure, il cherchait sa route vers le grand lac qui dormait de l'autre côté de la forêt, dans la paix de l'aurore. Ici, c'était un quartier de basalte qui l'obligeait à quatre longs

---

(1) *La Sagesse et la Destinée*, 1 vol. Fasquelle édit., 11, rue de Grenelle, Paris, 1898.

détours, là-bas, les racines d'un vieil arbre, plus
loin encore, le simple souvenir d'un obstacle à
jamais disparu le faisait remonter vers sa source
en bouillonnant en vain, et l'éloignait indéfiniment de son but et de son bonheur. Mais, dans
une autre direction, et presque perpendiculaire-
ment au ruisseau affolé, malheureux, inutile,
une force supérieure aux forces instinctives
avait tracé à travers la campagne, à travers les
pierres écroulées, à travers la forêt obéissante,
une sorte de long canal, ferme, verdoyant, insou-
cieux, pacifique, allant sans hésiter, de son pas
calme et clair, des profondeurs d'une autre
source cachée à l'horizon, vers le même lac
lumineux et tranquille. Et j'avais à mes pieds
l'image des deux grandes destinées qui sont
offertes à l'homme.

(VII)

A côté de ceux qui sont opprimés par les
hommes et par les événements, il y a en effet
d'autres êtres en qui se trouve une sorte de force
intérieure à laquelle se soumettent non seulement les hommes, mais même les événements
qui les entourent. Ils ont conscience de cette

force; et cette force n'est d'ailleurs autre chose
qu'un sentiment de soi-même qui a su s'étendre
au delà des bornes de la conscience habituelle
aux hommes.

On n'est chez soi, on n'est à l'abri des caprices
du hasard, on n'est heureux et fort que dans
l'enceinte de sa conscience. Au reste, ces choses
ont été dites trop souvent pour que nous nous y
arrêtions, si ce n'est pour fixer notre point de
départ. Un être ne grandit que dans la mesure
où il augmente sa conscience, et sa conscience augmente à mesure qu'il grandit. Il y a ici d'admirables échanges; et de même que l'amour est insatiable d'amour, toute conscience est insatiable d'ex-
tension, d'élévation morale, et toute élévation
morale est insatiable de conscience.

(VIII)

Mais ce sentiment de soi-même, tel qu'on le
comprend d'habitude, se limite trop volontiers à
la connaissance de nos défauts et de nos qualités.
Il peut s'étendre à des mystères infiniment plus
secourables. Se connaître soi-même, ce n'est
pas seulement se connaître au repos ou se
connaître plus ou moins dans le présent et le

passé. Les êtres dont je parle n'ont en eux cette
force que parce qu'ils se connaissent aussi dans
l'avenir. Avoir conscience de soi-même, pour les
hommes les plus grands, c'est avoir conscience,
jusqu'à un certain point, de son étoile ou de sa
destinée. Ils connaissent une partie de leur
avenir parce qu'ils sont déjà une partie de cet
avenir même. Ils ont confiance en eux parce
qu'ils savent dès aujourd'hui ce que les événements deviendront dans leur âme. L'événement
en soi, c'est l'eau pure que nous verse la fortune et il n'a d'ordinaire par lui-même ni
saveur, ni couleur, ni parfum. Il devient beau
ou triste, doux ou amer, mortel ou vivifiant,
selon la qualité de l'âme qui le recueille. Il
arrive sans cesse à ceux qui nous entourent
mille et mille aventures qui semblent toutes chargées de germes d'héroïsme, et rien d'héroïque
ne s'élève après que l'aventure s'est dissipée.
Mais Jésus-Christ rencontre sur sa route une
troupe d'enfants, une femme adultère ou la
Samaritaine, et l'humanité monte trois fois de
suite à la hauteur de Dieu.

(IX)

On devrait pouvoir dire qu'il n'arrive aux
hommes que ce qu'ils veulent qu'il leur arrive.

Nous n'avons, il est vrai, qu'une influence affaiblie
sur un certain nombre d'événements extérieurs ;
mais nous avons une action toute-puissante sur
ce que ces événements deviennent en nous-
mêmes, c'est-à-dire sur la partie spirituelle qui
est la partie lumineuse et immortelle de tout
événement. Il est des milliers d'êtres en qui cette
partie spirituelle qui demande à naître de tout
amour, de tout malheur ou de toute rencontre
n'a pu vivre un instant, et ceux-là passent
comme des épaves sur un fleuve. Il en est quelques autres en qui cette part immortelle absorbe
tout ; et ceux-là sont comme des îles sur la mer,
car ils ont trouvé un point fixe d'où ils com-
mandent aux destinées intimes ; et la destinée
véritable est une destinée intime. Pour la plupart des hommes, c'est ce qui leur arrive qui
assombrit ou éclaire leur vie ; mais la vie intérieure de ceux dont je parle éclaire seule tout
ce qui leur arrive. Si vous aimez, ce n'est pas
cet amour qui fait partie de votre destinée ;
c'est la conscience de vous-même que vous
aurez trouvée au fond de cet amour qui modifiera
votre vie. Si l'on vous a trahi, ce n'est pas la
trahison qui importe ; c'est le pardon qu'elle a
fait naître dans votre âme, et la nature plus ou
moins générale, plus ou moins élevée, plus ou
moins réfléchie de ce pardon, qui tournera votre
existence vers le côté paisible et plus clair du
destin où vous vous verrez mieux que si l'on

vous était resté fidèle. Mais si la trahison n'a
pas accru la simplicité, la confiance plus haute,
l'étendue de l'amour, on vous aura trahi bien
inutilement, et vous pourrez vous dire qu'il n'est
rien arrivé.

(X)

N'oublions pas que rien ne nous arrive qui ne
soit de la même nature que nous-mêmes. Toute
aventure qui se présente, se présente à notre
âme sous la forme de nos pensées habituelles,
et aucune occasion héroïque ne s'est jamais
offerte à celui qui n'était pas un héros silencieux
et obscur depuis un grand nombre d'années.
Gravissez la montagne ou descendez dans le
village, allez au bout du monde ou bien pro-
menez-vous autour de la maison, vous ne ren-
contrerez que vous-même sur les routes du
hasard. Si Judas sort ce soir, il ira vers Judas et
aura l'occasion de trahir, mais si Socrate ouvre
sa porte, il trouvera Socrate endormi sur le seuil
et aura l'occasion d'être sage. Nos aventures
errent autour de nous comme les abeilles sur le
point d'essaimer errent autour de la ruche. Elles
attendent que l'idée-mère sorte enfin de notre

âme ; et quand elle est sortie, elles s'agglomèrent
autour d'elle. Mentez, et les mensonges accour-
ront ; aimez, et la grappe d'aventures frissonnera
d'amour. Il semble que tout n'attende qu'un
signal intérieur, et si notre âme devient plus
sage vers le soir, le malheur aposté par elle-
même le matin devient plus sage aussi.

(XI)

Il n'arrive jamais de grands événements intérieurs à ceux qui n'ont rien fait pour les appeler à eux ; et cependant le moindre accident de
la vie porte en lui la semence d'un grand événement intérieur. Mais ces événements sont les
esclaves de la justice, et chaque homme a la
part de butin qu'il mérite. Nous devenons exactement ce que nous découvrons dans les bonheurs et les malheurs qui nous adviennent ; et
les caprices les plus inattendus de la fortune
s'accoutument à prendre la forme même de nos
pensées. Les vêtements, les armes et les parures
du destin se trouvent dans notre vie intérieure.
Si Socrate et Thersite perdent leur fils unique le
même jour, le malheur de Socrate ne sera pas
pareil au malheur de Thersite. La mort même,

que l'on croit invariable, a d'autres habitudes,
d'autres gestes, d'autres larmes dans la maison
des bons que dans celle des méchants. On dirait
que le malheur ou le bonheur se purifie avant de
frapper à la porte du sage ; et qu'il baisse la tête
pour entrer dans une âme médiocre.

(XII)

A mesure que nous devenons sages, nous
échappons à quelques-unes de nos destinées instinctives. Il y a dans tout être un certain désir
de sagesse, qui pourrait transformer en conscience la plupart des hasards de la vie. Et ce
qui a été transformé en conscience n'appartient
plus aux puissances ennemies. Une souffrance
que votre âme a changée en douceur, en indulgence ou en sourires patients, est une souffrance
qui ne reviendra plus sans ornements spirituels ;
et une faute et un défaut que vous avez regardés
face à face est une faute et un défaut qui ne
peuvent plus vous nuire, et qui ne peuvent plus
nuire aux autres.

Il existe des rapports incessants entre l'instinct et le destin, ils se soutiennent l'un l'autre,
et ils rôdent la main dans la main autour de

l'homme inattentif. Mais tout être qui sait diminuer en lui la force aveugle de l'instinct, diminue
tout autour de soi la force du destin. Il semble
qu'il crée une sorte de lieu d'asile, inviolable en
proportion de sa sagesse, et ceux qui passent par
hasard dans la zone éclairée de sa conscience
acquise n'ont rien à craindre du hasard tant
qu'ils s'attardent en cette zone. Placez Socrate et
Jésus-Christ au milieu des Atrides, et l'Orestie
n'aura pas lieu aussi longtemps qu'ils se trouveront dans le palais d'Agamemnon ; et s'ils se
fussent assis sur le seuil des demeures de Jocaste,
Œdipe n'eût pas songé à se crever les yeux.
Il y a des malheurs que la fatalité n'ose entreprendre en présence d'une âme qui l'a vaincue
plus d'une fois, et le sage qui passe interrompt
mille drames.

(XIII)

Il est si vrai que la présence du sage paralyse
le destin, qu'il n'existe peut-être pas un seul
drame où paraisse un véritable sage, et s'il y en
paraît un, l'événement s'arrête de lui-même
avant les larmes et le sang. Non seulement, il
n'y a jamais de drame entre les sages, mais il y
a très rarement un drame autour du sage. Il

n'est guère possible d'imaginer qu'un événement
tragique se développe entre des êtres qui ont fait
sérieusement le tour de leur conscience, et les
héros des grandes tragédies ont des âmes qu'ils
n'interrogent jamais profondément. C'est pourquoi le poète tragique ne saurait nous montrer
qu'une beauté plus ou moins enchaînée, car dès
que ses héros s'élèvent aussi haut que de véritables héros doivent monter, ils laissent tomber
leurs armes, et le drame n'est plus que le repos
dans la lumière. Le seul drame du sage se
trouve dans le *Phédon*, dans *Prométhée*, dans la
passion du Christ, dans le meurtre d'Orphée ou
le sacrifice d'Antigone. Mais ce drame mis à
part, qui est le drame unique de la sagesse,
observons que les poètes tragiques osent très
rarement permettre au sage de paraître un moment sur la scène. Ils craignent une âme haute
parce que les événements la craignent, et qu'un
meurtre commis en présence du sage n'a pas le
même aspect que le meurtre commis en présence
de ceux dont l'âme s'ignore encore. Si Œdipe
avait possédé quelques-unes de ces certitudes
que tout penseur peut acquérir, s'il avait eu en
lui ce refuge toujours ouvert que Marc-Aurèle,
par exemple, avait su édifier en lui-même, qu'aurait fait le destin, et qu'aurait-il pris à ses
pièges, si ce n'est la pure lumière que répand
une grande âme en devenant plus belle dans
l'infortune ?

Où se trouve le sage dans *Œdipe ?* Est-ce Tirésias ? Il connaît l'avenir, mais il ignore que la bonté et le pardon dominent l'avenir. Il sait la vérité sacrée, mais il ignore la vérité humaine. Il ignore la sagesse qui prend le malheur dans ses bras pour lui communiquer sa force. Ceux qui savent ne savent rien s'ils ne possèdent pas la force de l'amour, car le véritable sage n'est pas celui qui voit, mais celui qui, voyant le plus loin, aime le plus profondément les hommes. Voir sans aimer, c'est regarder dans les ténèbres.

(XIV)

On nous affirme que toutes les grandes tragédies ne nous offrent pas d'autre spectacle que la lutte de l'homme contre la fatalité. Je crois, au contraire, qu'il n'existe pas une seule tragédie où la fatalité règne réellement. J'ai beau les parcourir, je n'en trouve pas une où le héros combatte le destin pur et simple. Au fond, ce n'est jamais le destin, c'est toujours la sagesse qu'il attaque. Il n'y a de fatalité véritable qu'en certains malheurs extérieurs, tels que les maladies, les accidents, la mort inopinée de personnes aimées, etc., mais il n'existe pas de *fatalité inté-*

rieure. La volonté de la sagesse a le pouvoir de rectifier tout ce qui n'atteint par mortellement notre corps. Souvent même elle parvient à s'introduire dans le domaine étroit des fatalités extérieures. Il est vrai qu'il faut accumuler en soi un lourd, un patient trésor, pour que cette volonté trouve, au moment solennel, les forces nécessaires.

(XV)

La statue du destin projette une ombre énorme sur la vallée qu'elle semble inonder de ténèbres ; mais cette ombre a des contours très nets pour ceux qui la regardent des flancs de la montagne. Nous naissons en elle, il est vrai ; mais, il est permis à beaucoup d'hommes d'en sortir ; et si notre faiblesse ou nos infirmités nous attachent jusqu'à la mort aux régions assombries, c'est déjà quelque chose que de s'en éloigner parfois par le désir et la pensée. Il est possible que le destin règne plus rigoureusement sur l'un ou l'autre d'entre nous, en vertu de l'hérédité, en vertu de l'instinct, en vertu d'autres lois plus inexorables encore, plus profondes et plus inconnues, mais alors même qu'il nous accable de

malheurs immérités et étonnants, alors même
qu'il nous oblige de faire ce que nous n'aurions
jamais fait s'il n'avait pas violenté nos mains, le
malheur advenu, l'acte accompli, il dépend de
nous qu'il n'ait plus aucune influence sur ce qui
va se passer dans notre âme. Il ne peut empêcher, quand il frappe un cœur de bonne volonté,
que le malheur subi ou l'erreur reconnue n'ouvrent en ce cœur une source de clarté. Il ne
peut empêcher qu'une âme ne transforme chacune de ses épreuves en pensées, en sentiments,
en biens inviolables. Quelle que soit sa puissance au dehors, il s'arrête toujours quand il
trouve sur le seuil l'un des gardiens silencieux
d'une vie intérieure. Et si on lui permet alors
l'accès de la demeure cachée, il n'y peut pénétrer qu'en hôte bienfaisant, pour ranimer l'atmosphère engourdie, renouveler la paix, augmenter la lumière, étendre la sérénité, éclairer
l'horizon.

(XVI)

Encore une fois, qu'aurait fait le destin, s'il
s'était trompé d'âme et qu'il eût tendu à Epi-
cure, à Marc-Aurèle ou à Antonin-le-Pieux les

pièges qu'il tendit à Œdipe ? Je consens même à
supposer qu'il eût pu entraîner Antonin, par
exemple, à massacrer son père et à profaner,
dans la même ignorance, la couche de sa mère.
Qu'aurait-il ébranlé dans l'âme du noble souverain ? La fin de tout ceci n'eût-elle pas été
conforme au dénouement de tous les drames qui
s'attaquent au sage, c'est-à-dire une grande douleur, il est vrai, mais aussi une grande lumière
née de cette douleur même et déjà victorieuse à
demi de son ombre ? Antonin eût pleuré comme
tous les hommes pleurent ; mais les plus larges
pleurs n'éteignent aucun rayon dans une âme
qui n'a pas de rayons empruntés. Il y a pour le
sage, de la douleur au désespoir, un long chemin que la sagesse n'a jamais parcouru. A la
hauteur morale où la vie d'Antonin nous montre
qu'il était parvenu, les pensées qui grandissent,
les sentiments qui s'ennoblissent éclairent toutes
les larmes. Il aurait accueilli le malheur dans la
partie la plus vaste et la plus pure de son âme,
et le malheur épouse, comme l'eau, toutes les
formes du vase dans lequel on l'enferme. Antonin se serait résigné, disons-nous. Oui, mais
encore faut-il remarquer que ce mot nous cache
trop souvent ce qui a lieu dans un grand cœur.
Il est facile à la première âme venue de s'imaginer qu'elle aussi se résigne. Hélas ! ce n'est
pas la résignation qui nous console, nous purifie
et nous élève, mais les pensées et les vertus au

nom desquelles on se résigne, et c'est ici que la
sagesse récompense ses fidèles en proportion de
leurs mérites.

Il existe des idées qu'aucune catastrophe ne
peut atteindre. Il suffit d'ordinaire qu'une idée
s'élève au-dessus de la vanité, de l'indifférence
et de l'égoïsme quotidiens pour que celui qui la
nourrit ne soit plus aussi vulnérable. Et c'est
pourquoi, qu'il y ait bonheur ou malheur,
l'homme le plus heureux sera toujours celui
dans lequel la plus grande idée vit avec la
plus grande ardeur. Si la fatalité l'eût voulu,
Antonin-le-Pieux eût été incestueux et parri-
cide peut-être, mais sa vie intérieure, loin de
s'anéantir comme la vie d'Œdipe, eût été raf-
fermie par ses désastres mêmes, et le destin eût
pris la fuite, en abandonnant, tout autour du
palais de l'empereur, ses réseaux et ses armes
brisées, car de même que le triomphe des con-
suls et des dictateurs ne pouvait avoir lieu que
dans Rome, le véritable triomphe du destin ne
saurait avoir lieu que dans l'âme.

(XVII)

Où se trouve la fatalité dans *Hamlet*, le *Roi
Lear* et *Macbeth* ? Son trône n'est-il pas assis au
centre même de la déraison du vieux roi, sur les
marches inférieures de l'imagination du jeune

prince et sur la cime des désirs maladifs du
Thane de Cawdor ? Ne parlons pas de celui-ci, ni
du père de Cordélia, dont l'inconscience trop
manifeste ne sera contestée par personne, mais
Hamlet, le penseur, est-il sage ? Voit-il les crimes
d'Elseneur d'assez haut ? Il les aperçoit, semble-
t-il, des sommets de l'intelligence, mais les sommets de certains sentiments, les sommets de la
bonté, de la confiance, de l'indulgence et de
l'amour, dans la lumineuse chaîne de montagnes
de la sagesse, ne dominent-ils pas ceux de
l'intelligence ? Que serait-il advenu s'il avait
contemplé les forfaits d'Elseneur des hauteurs
d'où Marc-Aurèle, par exemple, les eût examinés ?
Et d'abord, n'arrive-t-il pas souvent qu'un crime
qui sent peser sur lui le regard d'une âme plus
puissante, suspende sa marche dans les ténèbres, de même que les abeilles suspendent leur
travail quand un rayon de jour pénètre dans
la ruche ?

En tout cas, le destin véritable auquel Clau-
dius et Gertrude s'étaient abandonnés, — car
on ne se livre au destin que lorsqu'on fait le
mal, — le destin véritable, qui est le destin
intérieur, aurait suivi sa voie dans l'âme des
coupables, mais aurait-il pu en sortir, aurait-il
osé franchir la barrière éclatante et accusatrice
que la simple présence d'un de ces sages eût
mise en permanence devant les portes du palais ?
Si les destinées de ceux qui sont moins sages

participent malgré elles aux destinées du sage
qu'elles rencontrent, les destinées du sage sont
rarement atteintes par des destinées inférieures.
Dans les domaines de la fatalité, non plus que
sur la terre, les fleuves ne remontent vers leurs
sources. Mais pour en revenir à la première
idée, vous imaginez-vous une âme puissante et
souveraine, comme celle de Jésus à la place
d'Hamlet, dans Elseneur, et que la tragédie suive
son cours jusqu'aux quatre morts de la fin ? Cela
vous paraît-il possible ? Est-ce que le crime le
plus habile, en présence d'une sagesse profonde,
ne ressemble pas un peu à ces spectacles que
l'on offre le soir aux tout petits enfants et dont
un rayon de soleil révèlerait la pauvreté et le mensonge ? Voyez-vous Jésus-Christ, ou simplement le sage que vous avez peut-être rencontré,
au milieu des ténèbres volontaires d'Elseneur ?
Qu'est-ce qui mène Hamlet, sinon une pensée
aveugle qui lui dit que la vengeance est l'unique
devoir ? Mais fallait-il vraiment un effort sur-
humain pour reconnaître que la vengeance
n'est jamais un devoir ? Je le répète, Hamlet
pense beaucoup, mais il n'est guère sage. Il ne
paraît pas soupçonner où se trouve le défaut de
la cuirasse du destin. Il ne suffit pas toujours de
s'armer de pensées hautes pour le vaincre, car le
destin sait opposer aux pensées hautes des
pensées plus hautes encore ; mais quel destin a
jamais résisté à des pensées douces, simples,

bonnes et loyales ? La seule manière d'asservir
le destin, c'est de faire le contraire du mal qu'il
voudrait nous faire faire. Il n'y a pas de drame
inévitable. Les catastrophes d'Elseneur n'ont
lieu que parce que toutes les âmes se refusent à
voir ; mais une âme vivante contraint toutes les
autres à entr'ouvrir les yeux. Où était-il écrit
que Laërte, Ophélie, Gertrude, Hamlet et Clau-
dius dussent mourir, si ce n'est dans l'aveuglement misérable d'Hamlet ? Mais qu'y avait-il
donc d'inévitable en cet aveuglement ? Ne faisons pas intervenir le destin là où une pensée
peut désarmer encore les puissances meur-
trières. Il lui reste une part assez belle. Le
destin, je retrouve son empire dans un mur qui
me tombe sur la tête, dans la tempête qui éventre
un navire et dans l'épidémie qui atteint ceux
que j'aime. Mais il n'entre jamais dans l'âme
d'un homme qui ne l'appelle pas. Hamlet est
malheureux parce qu'il marche dans des
ténèbres inhumaines, et c'est son ignorance qui
fixe son malheur. Il n'y a rien au monde qui
obéisse plus longtemps que la fatalité à tous
ceux qui osent lui donner des ordres. Horatio
lui-même eût pu lui en donner jusqu'au dernier
moment, mais il n'a pas eu l'énergie nécessaire
pour sortir de l'ombre de son maître. Il eût suffit
qu'une âme eût eu l'audace de crier la vérité dans
Elseneur, pour que l'histoire d'Elseneur ne se
fût pas écroulée tout entière dans des larmes de

haine et d'horreur. Mais le mauvais hasard, aux doigts de la sagesse, est souple comme un jonc que l'on vient de couper et devient une barre d'airain meurtrièrement inflexible aux mains de l'inconscience. Une fois de plus, tout dépendait ici, non du destin, mais de la sagesse du plus sage, car Hamlet était le plus sage, et c'est pourquoi il devenait, par sa seule présence, le centre même du drame d'Elseneur — et la sagesse d'Hamlet ne dépendait que de lui-même.

(XLVIII)

Quand nous prononçons le mot « Destin », il n'est personne qui ne se représente quelque chose de sombre, d'affreux et de mortel. Au fond de la pensée des hommes, il n'est que le chemin qui conduit à la mort. Même, la plupart du temps, il n'est autre chose que le nom que l'on donne à la mort qui n'est pas encore arrivée. Il est la mort envisagée dans l'avenir et l'ombre de la mort sur la vie. « Nul homme n'échappe à son destin », disons-nous, par exemple, en songeant à la mort qui attend le voyageur au détour de la route. Mais si le voyageur rencontre le bonheur, nous ne parlons plus du destin, ou

nous n'en parlons plus comme du même dieu.
Et cependant, ne peut-il advenir que celui qui
chemine par la vie rencontre un bonheur plus
grand que le malheur et plus important que la
mort ? Ne peut-il advenir qu'il rencontre un bonheur que nous ne voyons pas, et de sa nature le
bonheur n'est-il pas moins manifeste que le
malheur, et ne devient-il pas moins visible à
mesure qu'il s'élève ? Mais nous n'en tenons
aucun compte. Si c'est une aventure misérable,
tout le village, toute la ville accourt ; mais si
c'est un baiser, un rayon de beauté qui vient
frapper notre œil, ou un rayon d'amour qui vient
éclairer notre cœur, personne n'y prend garde. Et
pourtant un baiser peut être aussi important
à la joie qu'une blessure est importante à la
douleur. Nous ne sommes pas justes ; nous ne
mêlons presque jamais le destin au bonheur ; et
si nous ne le joignons pas à la mort, c'est pour
le joindre à un malheur plus grand que la mort
même.

(XLIX)

Si je vous parle du destin d'Œdipe, de Jeanne
d'Arc et d'Agamemnon, vous n'apercevrez pas la
vie de ces trois êtres, vous ne verrez que les
derniers sentiers qui les menèrent à leur fin.

Vous vous direz que leur destin n'a pas été heureux, puisque leur mort n'a pas été heureuse. Mais vous oubliez que la mort n'est jamais heureuse aux yeux de ceux qui ne meurent pas encore, et pourtant c'est ainsi que nous jugeons la vie. Il semble que la mort absorbe tout ; et si trente années de félicité aboutissent à une mort accidentelle, les trente années nous paraîtront perdues dans les ténèbres d'une heure douloureuse.

(L)

Nous avons tort de relier ainsi la destin à la mort ou au malheur. Quand donc quitterons-nous cette idée que la mort est plus importante que la vie, et le malheur plus grand que le bonheur ? Pourquoi ne regarder que du côté des larmes, quand nous jugeons de la destinée d'un être, et jamais du côté des sourires ? Qui nous a dit qu'il faut évaluer la vie à l'aide de la mort et non pas la mort à l'aide de la vie ? Nous plaignons la destinée de Socrate, de Duncan, d'Antigone, de Jeanne d'Arc et de tant d'autres justes, parce que leur fin fut inattendue ou cruelle, et nous nous disons que la sagesse ou la vertu ne désarme pas le malheur. Mais d'abord, vous n'êtes ni sage ni juste si vous cherchez dans la sagesse et la justice autre chose que la sagesse et la justice mêmes. Et puis, de quel droit tassons-nous ainsi une existence tout entière dans l'instant de la mort ? Pourquoi me dites-vous que la sagesse ou la vertu d'Antigone et de Socrate les rendit malheureux parce que leur fin fut malheureuse ? La mort occupe-t-elle dans la vie un point plus vaste que la naissance ? Et cependant vous ne tenez pas compte de la naissance quand vous pesez la destinée du sage. Ce qui nous rend heureux ou malheureux, c'est ce que nous faisons entre la naissance et la mort ; ce n'est pas dans sa mort, mais dans les jours et les années qui la précèdent que se trouvent le bonheur ou le malheur d'un être et son véritable destin.

Nous raisonnons un peu comme si le sage dont l'histoire nous a appris la mort affreuse eût passé son existence à prévoir la fin douloureuse que sa sagesse lui préparait. Mais en réalité le sage est bien moins inquiété que le méchant par l'idée de la mort. Socrate n'a pas à craindre comme Macbeth que tout finisse mal. Et si tout finit mal, c'est contre toute attente, et il n'a pas usé sa vie à la mourir d'avance comme le Thane de Cadwor. Mais trop souvent au fond de nos pensées il semble qu'une blessure qui saigne quelques heures anéantisse la paix d'une existence entière.

(LI)

Je ne dis pas que le destin soit juste, qu'il récompense les bons et punisse les méchants. Quelle âme pourrait encore se dire bonne si la récompense était sûre ? Mais nous sommes bien plus injustes que le destin lui-même lorsque nous le jugeons. Nous ne voyons que le malheur du sage, car nous savons tous ce que c'est que le malheur ; mais nous ne voyons pas son bonheur, car il faut être exactement aussi sage que le sage et aussi juste que le juste dont on pèse le destin pour connaître leur bonheur.

Lorsqu'un homme à l'âme basse tente de mesurer le bonheur d'un grand sage, ce bonheur fuit comme l'eau entre ses doigts ; mais dans la main d'un autre sage, il devient aussi ferme, aussi brillant que l'or. On n'a que le bonheur qu'on peut comprendre. Il arrive souvent que le malheur du sage ressemble au malheur d'un autre homme, mais son bonheur n'a aucun rapport avec ce qu'appelle bonheur celui qui n'est pas sage. Il y a bien plus de terres inconnues dans le bonheur qu'il n'y en a dans le malheur. Le malheur a toujours la même voix, mais le bonheur fait moins de bruit à mesure qu'il devient plus profond.

Quand nous mettons le malheur dans un
plateau de la balance, chacun de nous dépose
dans l'autre l'idée qu'il se fait du bonheur.
Le sauvage y mettra de l'alcool, de la poudre et
des plumes ; l'homme civilisé un peu d'or et
quelques jours d'ivresse ; mais le sage y déposera
mille choses que nous ne voyons pas, toute son
âme peut-être, et le malheur même qu'il aura
purifié.

(LII)

Il n'est rien de plus juste que le bonheur, rien
qui prenne plus fidèlement la forme de notre
âme, rien qui remplisse plus exactement les
lieux que la sagesse lui a ouverts. Mais il n'est
rien qui manque encore de voix autant que lui.
L'ange de la douleur parle toutes les langues et
connaît tous les mots, mais l'ange du bonheur
n'ouvre la bouche que lorsqu'il peut parler d'un
bonheur que le sauvage est à même de comprendre. Le malheur est sorti de l'enfance depuis
des centaines de siècles, mais on dirait que le
bonheur dort encore dans les langes.

Quelques hommes ont appris à être heureux, mais où sont-ils ceux qui dans leur féli-

cité songèrent à prêter leur voix à l'Archange
muet qui éclairait leur âme ? D'où vient cet
injuste silence ? Parler du bonheur, n'est-ce
pas un peu l'enseigner ? Prononcer son nom
chaque jour, n'est-ce pas l'appeler ? Et l'un
des beaux devoirs de ceux qui sont heureux,
n'est-ce pas d'apprendre aux autres à être
heureux ? Il est certain que l'on apprend à être
heureux ; et rien ne s'enseigne plus aisément
que le bonheur. Si vous vivez parmi des gens
qui bénissent leur vie, vous ne tarderez pas
à bénir votre vie. Le sourire est aussi conta-
gieux que les larmes ; et les époques que l'on
appelle heureuses ne sont souvent que des
époques où quelques hommes surent se dire
heureux. D'ordinaire, ce n'est pas le bonheur qui
nous manque, c'est la science du bonheur. Il ne
sert de rien d'être aussi heureux que possible si
l'on ignore qu'on est heureux ; et la conscience
du plus petit bonheur importe bien plus à notre
félicité que le plus grand bonheur que notre âme
ne regarde pas attentivement. Trop d'êtres
s'imaginent que le bonheur est autre chose que
ce qu'ils ont, et c'est pourquoi ceux qui ont le
bonheur doivent nous montrer qu'ils ne possèdent rien que ne possèdent tous les hommes
dans leur cœur.

Etre heureux, c'est avoir dépassé l'inquiétude du bonheur. Il serait nécessaire, de temps
à autre, qu'un homme favorisé par le destin

d'une félicité éclatante, enviée, surhumaine,
vînt nous dire simplement : j'ai reçu tout ce
que vos désirs appellent chaque jour, j'ai la
richesse, la santé, la jeunesse, la gloire, la puissance et l'amour. Aujourd'hui, je puis me dire
heureux ; non pas à cause des dons que la fortune a daigné m'accorder, mais parce que ces
dons m'ont appris à regarder plus haut que le
bonheur. Si j'ai trouvé dans mes voyages merveilleux, dans mes victoires, dans ma force et
dans mon amour, la paix et la félicité que je
cherchais, c'est qu'ils m'ont appris que ce n'est
pas en eux que se trouvent la félicité et la paix
véritables. Avant tous ces triomphes, elles
n'existaient qu'en moi ; après tous ces triomphes,
elles s'y trouvent toujours, et je n'ignore pas
qu'avec un peu plus de sagesse, j'aurais pu posséder tout ce que je possède, sans qu'il eût été
nécessaire de posséder tant de bonheur. Je sais
que je suis plus heureux aujourd'hui que je ne
l'étais hier, parce que je sais enfin que je n'ai
plus besoin du bonheur pour délivrer mon âme,
apaiser ma pensée et éclairer mon cœur.

(LVII)

La première âme venue ne peut pas porter le
bonheur. Il y a le courage du bonheur, comme il
y a le courage du malheur. Peut-être faut-il plus

de force pour continuer d'être heureux que pour
continuer d'être malheureux ; car l'attente de ce
qu'il n'a pas encore donne plus de joie au cœur
qui n'est pas sage que la pleine possession de
tout ce qu'il a désiré. C'est du sommet d'un bonheur permanent qu'on voit le mieux les désirs
de ce cœur qui semble ne pouvoir se nourrir que
de crainte ou d'espoir, et qui a tant de mal à se
nourrir de ce qu'il a, alors même qu'il a tout.

On voit souvent des êtres forts et pleins de
prudence morale, vaincus par le bonheur. N'y
trouvant pas tout ce qu'ils y cherchaient, ils ne
le défendent ni ne le retiennent avec l'énergie
qu'il faudrait toujours déployer dans la vie. Ah !
qu'il faut être sage, pour ne plus s'étonner
que le bonheur apporte aussi de la tristesse, et
pour que cette tristesse ne nous incline pas à
croire que nous ne possédons pas encore le
bonheur véritable ! Ce qu'on trouve de meilleur
dans le bonheur, c'est la certitude qu'il n'est pas
une chose qui enivre, mais qui fait réfléchir. Il
est plus accessible et il devient moins rare, une
fois qu'on a appris que le seul don qu'il laisse à
l'âme qui sait en profiter, c'est un élargissement
de conscience qu'elle n'aurait point trouvé ailleurs. Il est plus important pour l'âme humaine
de savoir la valeur d'un bonheur que d'en jouir.
Il est nécessaire de savoir bien des choses pour
aimer longtemps le bonheur ; il est indispensable
d'en savoir bien davantage pour reconnaître

qu'au sein d'un bonheur sans orage, la partie fixe et stable de toute félicité se trouve uniquement dans cette force, qui, tout au fond de notre conscience, pourrait nous rendre heureux au sein du malheur même. Vous ne pouvez vous dire heureux que lorsque le bonheur vous a aidé à gravir des hauteurs d'où vous pouvez le perdre de vue, sans perdre en même temps votre désir de vivre.

LA VIE DES ABEILLES [1]

LE VOL NUPTIAL

(I)

Voyons maintenant de quelle manière a lieu la fécondation de la reine-abeille. Ici encore, la nature a pris des mesures extraordinaires pour favoriser l'union des mâles et des femelles issus de souches différentes ; loi étrange, que rien ne l'obligeait de décréter, caprice, ou peut-être inadvertance initiale dont la réparation use les forces les plus merveilleuses de son activité.

Il est probable que si elle avait employé à assurer la vie, à atténuer la souffrance, à adoucir la mort, à écarter les hasards affreux, la moitié du génie qu'elle prodigue autour de la fécondation croisée et de quelques autres désirs arbitraires, l'univers nous eût offert

(1) La Vie des Abeilles, 1 vol. Fasquelle édit., 1901.

une énigme moins incompréhensible, moins
pitoyable que celle que nous tâchons de pénétrer. Mais ce n'est pas dans ce qui aurait pu
être, c'est dans ce qui est qu'il convient de
puiser notre conscience, et l'intérêt que nous
prenons à l'existence.

Autour de la reine virginale, et vivant avec
elle dans la foule de la ruche, s'agitent des centaines de mâles exubérants, toujours ivres de
miel, dont la seule raison d'être est un acte
d'amour. Mais malgré le **contact** incessant de
deux inquiétudes qui partout ailleurs renversent tous les obstacles, jamais l'union ne s'opère
dans la ruche, et l'on n'a jamais réussi à rendre
féconde une reine captive (1). Les amants qui
l'entourent ignorent ce qu'elle est, tant qu'elle
demeure au milieu d'eux. Sans se douter qu'ils
viennent de la quitter, qu'ils dormaient avec
elle sur les mêmes rayons, qu'ils l'ont peut-être
bousculée dans leur sortie impétueuse, ils vont
la demander à l'espace, aux creux les plus cachés de l'horizon. On dirait que leurs yeux
admirables, qui coiffent toute leur tête d'un
casque fulgurant, ne la reconnaissent et ne la
désirent que lorsqu'elle plane dans l'azur.
Chaque jour, de onze heures à trois heures,

---

(1) Le professeur Mc Lain est récemment parvenu à fécon-
der artificiellement quelques reines, mais à la suite d'une
véritable opération chirurgicale, délicate et compliquée. Du
reste, la fécondité de ces reines fut restreinte et éphémère.

quand la lumière est dans tout son éclat, et
surtout lorsque midi déploie jusqu'aux confins
du ciel ses grandes ailes bleues, pour attiser
les flammes du soleil, leur horde empana-
chée se précipite à la recherche de l'épouse
plus royale et plus inespérée qu'en aucune
légende de princesse inaccessible, puisque
vingt ou trente tribus l'environnent, accourues
de toutes les cités d'alentour, pour lui faire un
cortège de plus de dix mille prétendants, et que
parmi ces dix mille, un seul sera choisi, pour un
baiser unique d'une seule minute, qui le mariera
à la mort en même temps qu'au bonheur, tandis que tous les autres voleront inutiles autour
du couple enlacé, et périront bientôt sans revoir
l'apparition prestigieuse et fatale.

(II)

Je n'exagère pas cette surprenante et folle
prodigalité de la nature. Dans les meilleures
ruches on compte d'habitude quatre ou cinq
cents mâles. Dans les ruches dégénérées ou plus
faibles, on en trouve souvent quatre ou cinq
mille, car plus une ruche penche à sa ruine,
plus elle produit de mâles. On peut dire qu'en
moyenne, un rucher composé de dix colonies,

éparpille dans l'air, à un moment donné, un peuple de dix mille mâles, dont dix ou quinze au plus auront chance d'accomplir l'acte unique pour lequel ils sont nés.

En attendant, ils épuisent les provisions de la cité, et le travail incessant de cinq ou six ouvrières suffit à peine à nourrir l'oisiveté vorace et plantureuse de chacun de ces parasites qui n'ont d'infatigable que la bouche. Mais toujours la nature est magnifique, quand il s'agit des fonctions et des privilèges de l'amour. Elle ne lésine que les organes et les instruments du travail. Elle est particulièrement âpre à tout ce que les hommes ont appelé vertu. En revanche, elle ne compte ni les joyaux, ni les faveurs qu'elle répand sur la route des amants les moins intéressants. Elle crie de toutes parts : « Unissez-vous, multipliez, il n'est d'autre loi, d'autre but que l'amour », — quitte à ajouter à mi-voix : — « Et durez après si vous le pouvez, cela ne me regarde plus ». On a beau faire, on a beau vouloir autre chose, on retrouve partout cette morale si différente de la nôtre. Voyez encore, dans les mêmes petits êtres, son avarice injuste et son faste insensé. De sa naissance à sa mort, l'austère butineuse doit aller au loin, dans les fourrés les plus épais, à la recherche d'une foule de fleurs qui se dissimulent. Elle doit découvrir aux labyrinthes des nectaires, aux allées secrètes des anthères, le

miel et le pollen cachés. Pourtant ses yeux, ses
organes olfactifs, sont comme des yeux, des
organes d'infirme, au prix de ceux des mâles.
Ceux-ci seraient à peu près aveugles et privés
d'odorat qu'ils n'en pâtiraient guère, qu'ils le
sauraient à peine. Ils n'ont rien à faire, aucune
proie à poursuivre. On leur apporte leurs ali-
ments tout préparés et leur existence se passe
à humer le miel à même les rayons, dans
l'obscurité de la ruche. Mais ils sont les agents
de l'amour, et les dons les plus énormes et les
plus inutiles sont jetés à pleines mains dans
l'abîme de l'avenir. Un sur mille, parmi eux,
aura à découvrir, une fois dans sa vie, au profond de l'azur, la présence de la vierge royale.
Un sur mille devra suivre, un instant dans l'espace, la piste de la femelle qui ne cherche pas
à fuir. Il suffit. La puissance partiale a ouvert
à l'extrême et jusqu'au délire, ses trésors inouïs.
A chacun de ses amants improbables, dont
neuf cent quatre-vingt-dix-neuf seront massa-
crés quelques jours après les noces mortelles
du millième, elle a donné treize mille yeux de
chaque côté de la tête, alors que l'ouvrière en
a six mille. Elle a pourvu leurs antennes, selon
les calculs de Cheshire, de trente-sept mille
huit cents cavités olfactives, alors que l'ouvrière
n'en possède que cinq mille. Voilà un exemple
de la disproportion qu'on observe à peu près
partout entre les dons qu'elle accorde à l'amour,

et ceux qu'elle marchande au travail, entre la
faveur qu'elle répand sur ce qui donne essor à
la vie dans un plaisir, et l'indifférence où elle
abandonne ce qui se maintient patiemment
dans la peine. Qui voudrait peindre au vrai le
caractère de la nature, d'après les traits que
l'on rencontre ainsi, il en ferait une figure
extraordinaire qui n'aurait aucun rapport à
notre idéal, qui doit cependant provenir d'elle
aussi. Mais l'homme ignore trop de choses pour
entreprendre ce portrait où il ne saurait mettre
qu'une grande ombre avec deux ou trois points
d'une lumière incertaine.

(III)

Bien peu, je pense, ont violé le secret des
noces de la reine-abeille, qui s'accomplissent
aux replis infinis et éblouissants d'un beau ciel.
Mais il est possible de surprendre le départ
hésitant de la fiancée, et le retour meurtrier de
l'épouse.

Malgré son impatience, elle choisit son jour
et son heure, et attend à l'ombre des portes
qu'une matinée   merveilleuse s'épanche dans
l'espace nuptial, du fond des grandes urnes

azurées. Elle aime le moment où un peu de rosée mouille d'un souvenir les feuilles et les fleurs, où la dernière fraîcheur de l'aube défaillante lutte dans sa défaite avec l'ardeur du jour, comme une vierge nue aux bras d'un lourd guerrier, où le silence et les roses de midi qui s'approche, laissent encore percer çà et là quelque parfum des violettes du matin, quelque cri transparent de l'aurore.

Elle paraît alors sur le seuil, au milieu de l'indifférence des butineuses qui vaquent à leurs affaires, ou environnées d'ouvrières affolées, selon qu'elle laisse des sœurs dans la ruche ou qu'il n'est plus possible de la remplacer. Elle prend son vol à reculons, revient deux ou trois fois sur la tablette d'abordage, et quand elle a marqué dans son esprit l'aspect et la situation exacte de son royaume qu'elle n'a jamais vu du dehors, elle part comme un trait au zénith de l'azur. Elle gagne ainsi des hauteurs et une zone lumineuse que les autres abeilles n'affrontent à aucune époque de leur vie. Au loin, autour des fleurs où flotte leur paresse, les mâles ont aperçu l'apparition et respiré le parfum magnétique qui se répand de proche en proche jusqu'aux ruchers voisins. Aussitôt les hordes se rassemblent et plongent à sa suite dans la mer d'allégresse dont les bornes limpides se déplacent. Elle, ivre de ses ailes, et obéissant à la magnifique loi de l'espèce qui

choisit pour elle son amant et veut que le plus
fort l'atteigne seul dans la solitude de l'éther,
elle monte toujours, et l'air bleu du matin s'en-
gouffre pour la première fois dans ses stigmates
abdominaux et chante comme le sang du ciel
dans les mille radicelles reliées aux deux sacs
trachéens qui occupent la moitié de son corps et
se nourrissent de l'espace. Elle monte toujours.
Il faut qu'elle atteigne une région déserte que ne
hantent plus les oiseaux qui pourraient troubler
le mystère. Elle s'élève encore, et déjà la
troupe inégale diminue et s'égrène sous elle.
Les faibles, les infirmes, les vieillards, les mal
venus, les mal nourris des cités inactives ou
misérables, renoncent à la poursuite et disparaissent dans le vide. Il ne reste plus en suspens, dans l'opale infinie, qu'un petit groupe
infatigable. Elle demande un dernier effort à
ses ailes, et voici que l'élu des forces incompréhensibles la rejoint, la saisit, la pénètre et,
qu'emportée d'un double élan, la spirale ascen-
dante de leur vol enlacé tourbillonne une
seconde dans le délire hostile de l'amour.

(IV)

La plupart des êtres ont le sentiment confus
qu'un hasard très précaire, une sorte de mem-

brane transparente, sépare la mort de l'amour,
et que l'idée profonde de la nature veut que
l'on meure dans le moment où l'on transmet la
vie. C'est probablement cette crainte héréditaire qui donne tant d'importance à l'amour.
Ici du moins se réalise dans sa simplicité primitive cette idée dont le souvenir plane
encore sur le baiser des hommes. Aussitôt l'union
accomplie, le ventre du mâle s'entr'ouvre, l'organe se détache, entraînant la masse des
entrailles, les ailes se détendent et, foudroyé par
l'éclair nuptial, le corps vidé tournoie et tombe
dans l'abîme.

La même pensée qui tantôt, dans la parthé-
nogenèse, sacrifiait l'avenir de la ruche à la
multiplication insolite des mâles, sacrifie ici
le mâle à l'avenir de la ruche.

Elle étonne toujours cette pensée ; plus on
l'interroge, plus les certitudes diminuent, et
Darwin par exemple, pour citer celui qui de
tous les hommes l'a le plus passionnément et
le plus méthodiquement étudiée, Darwin sans
trop se l'avouer, perd contenance à chaque pas
et rebrousse chemin devant l'inattendu et l'inconciliable. Voyez-le, si vous voulez assister
au spectacle noblement humiliant du génie
humain aux prises avec la puissance infinie,
voyez-le qui essaie de démêler les lois bizarres,
incroyablement mystérieuses et incohérentes
de la stérilité et de la fécondité des hybrides,

ou celles de la variabilité des caractères spécifiques et génériques. A peine a-t-il formulé
un principe que des exceptions sans nombre
l'assaillent, et bientôt le principe accablé
est heureux de trouver asile dans un coin et
de garder, à titre d'exception, un reste d'existence.

C'est que dans l'hybridité, dans la variabilité
(notamment dans les variations simultanées,
appelées corrélation de croissance), dans l'instinct, dans les procédés de la concurrence
vitale, dans la sélection, dans la succession
géologique et dans la distribution géographique
des êtres organisés, dans les affinités mutuelles,
comme partout ailleurs, la pensée de la nature
est tatillonne et négligente, économe et gâcheuse,
prévoyante et inattentive, inconstante et inébranlable, agitée et immobile, une et innombrable, grandiose et mesquine dans le même moment et le même
phénomène. Alors qu'elle avait devant elle le champ
immense et vierge de la simplicité, elle le peuple de
petites erreurs, de petites lois contradictoires, de
petits problèmes difficiles qui s'égarent dans
l'existence comme des troupeaux aveugles. Il
est vrai que tout cela se passe dans notre œil qui
ne reflète qu'une réalité appropriée à notre
taille et à nos besoins, et que rien ne nous
autorise à croire que la nature perde de vue
ses causes et ses résultats égarés.

En tout cas, il est rare qu'elle leur permette

d'aller trop loin, de s'approcher de régions illogiques ou dangereuses. Elle dispose de deux forces qui ont toujours raison, et quand les phénomènes dépassent certaines bornes, elle fait signe à la vie ou à la mort qui vient rétablir l'ordre et retracer la route avec indifférence.

(V)

Elle nous échappe de toutes parts, elle méconnaît la plupart de nos règles, et brise toutes nos mesures. — A notre droite, elle est bien au-dessous de notre pensée, mais voilà qu'à notre gauche, elle la domine brusquement comme une montagne. A tout moment, il semble qu'elle se trompe, aussi bien dans le monde de ses premières expériences que dans celui des dernières, je veux dire dans le monde de l'homme. Elle y sanctionne l'instinct de la masse obscure, l'injustice inconsciente du nombre, la défaite de l'intelligence et de la vertu, la morale sans hauteur qui guide le grand flot de l'espèce et qui est manifestement inférieure à la morale que peut concevoir et souhaiter l'esprit qui s'ajoute au petit flot plus clair qui remonte le fleuve. Pourtant, est-ce à

tort que ce même esprit se demande aujour-
d'hui si son devoir n'est pas de chercher toute
vérité, par conséquent les vérités morales aussi
bien que les autres, dans ce chaos plutôt qu'en
lui-même, où elles paraissent relativement si
claires et si précises ?

Il ne songe pas à renier la raison et la vertu
de son idéal consacré par tant de héros et de
sages, mais parfois il se dit que peut-être cet
idéal s'est formé trop à part de la masse
énorme dont il prétend représenter la beauté
diffuse. A bon droit, il a pu craindre jusqu'ici
qu'en adaptant sa morale à celle de la nature,
il n'eût anéanti ce qui lui paraît être le chef-
d'œuvre de cette nature même. Mais à présent qu'il connaît un peu mieux celle-ci, et
que quelques réponses encore obscures, mais
d'une ampleur imprévue, lui ont fait entrevoir
un plan et une intelligence plus vastes que tout
ce qu'il pouvait imaginer en se renfermant en
lui-même, il a moins peur, il n'a plus aussi im-
périeusement besoin de son refuge de vertu et
de raison particulières. Il juge que ce qui est
si grand ne saurait enseigner à se diminuer. Il
voudrait savoir si le moment n'est pas venu
de soumettre à un examen plus judicieux ses
principes, ses certitudes et ses rêves.

Je le répète, il ne songe pas à abandonner
son idéal humain. Cela même qui d'abord dis-
suade de cet idéal apprend à y revenir. La

nature ne saurait donner de mauvais conseils
à un esprit à qui toute vérité, qui n'est pas au
moins aussi haute que la vérité de son propre
désir, ne paraît pas assez élevée pour être
définitive et digne du grand plan qu'il s'efforce
d'embrasser. Rien ne change de place dans sa
vie, sinon pour monter avec lui, et longtemps
encore il se dira qu'il monte quand il se rap-
proche de l'ancienne image du bien. Mais dans
sa pensée tout se transforme avec une liberté
plus grande, et il peut descendre impunément
dans sa contemplation passionnée, jusqu'à ché-
rir autant que des vertus, les contradictions les
plus cruelles et les plus immorales de la vie,
car il a le pressentiment qu'une foule de val-
lées successives conduisent au plateau qu'il
espère. Cette contemplation et cet amour n'em-
pêchent pas qu'en cherchant la certitude, et alors
même que ses recherches le mènent à l'opposé
de ce qu'il aime, il ne règle sa conduite sur la
vérité le plus humainement belle et se tienne au
provisoire le plus haut. Tout ce qui augmente
la vertu bienfaisante entre immédiatement dans
sa vie ; tout ce qui l'amoindrirait y demeure en
suspens, comme ces sels insolubles qui ne
s'ébranlent qu'à l'heure de l'expérience décisive. Il peut accepter une vérité inférieure,
mais, pour agir selon cette vérité, il attendra,
— durant des siècles, s'il est nécessaire, —
qu'il aperçoive le rapport que cette vérité doit

avoir à des vérités assez infinies pour envelopper et surpasser toutes les autres.

En un mot, il sépare l'ordre moral de l'ordre intellectuel, et n'admet dans le premier que ce qui est plus grand et plus beau qu'autrefois. Et s'il est blâmable de séparer ces deux ordres, comme on le fait trop souvent dans la vie, pour agir moins bien qu'on ne pense ; voir le pire et suivre le meilleur, tendre son action au-dessus de son idée, est toujours salutaire et raisonnable, car l'expérience humaine nous permet d'espérer plus clairement de jour en jour, que la pensée la plus haute que nous puissions atteindre sera longtemps encore au-dessous de la mystérieuse vérité que nous cherchons. Au surplus, quand rien ne serait vrai de tout ce qui précède, il lui resterait une raison simple et naturelle pour ne pas encore abandonner son idéal humain. Plus il accorde de force aux lois qui semblent proposer l'exemple de l'égoïsme, de l'injustice et de la cruauté, plus, du même coup, il en apporte aux autres qui conseillent la générosité, la pitié, la justice, car dès l'instant qu'il commence d'égaliser et de proportionner plus méthodiquement les parts qu'il fait à l'univers et à lui-même, il trouve à ces dernières lois quelque chose d'aussi profondément naturel qu'aux premières, puisqu'elles sont inscrites aussi profondément en lui que les autres le sont dans tout ce qui l'entoure.

(VI)

Remontons aux noces tragiques de la reine.
Dans l'exemple qui nous occupe, la nature veut
donc, en vue de la fécondation croisée, que
l'accouplement du faux-bourdon et de la reine-
abeille ne soit possible qu'en plein ciel. Mais
ses désirs se mêlent comme un réseau et ses
lois les plus chères ont à passer sans cesse à
travers les mailles d'autres lois, qui l'instant
d'après passeront à leur tour à travers celles
des premières.

Ayant peuplé ce même ciel de dangers innombrables, de vent froids, de courants,
d'orages, de vertiges, d'oiseaux, d'insectes, de
gouttes d'eau qui obéissent aussi à des lois
invincibles, il faut qu'elle prenne des mesures
pour que cet accouplement soit aussi bref que
possible. Il l'est, grâce à la mort foudroyante
du mâle. Une étreinte y suffit, et la suite de
l'hymen s'accomplit aux flancs mêmes de
l'épouse.

Celle-ci, des hauteurs bleuissantes, redescend
à la ruche tandis que frémissent derrière elle,
comme des oriflammes, les entrailles déroulées
de l'amant. Quelques apidologues prétendent

qu'à ce retour gros de promesses, les ouvrières
manifestent une grande joie. Büchner, entre autres,
en trace un tableau détaillé. J'ai guetté bien
des fois ces rentrées nuptiales et j'avoue n'avoir
guère constaté d'agitation insolite, hors les cas
où il s'agissait d'une jeune reine sortie à la tête
d'un essaim et qui représentait l'unique espoir
d'une cité récemment fondée et encore déserte.
Alors toutes les travailleuses sont affolées et se
précipitent à sa rencontre. Mais pour l'ordinaire, et bien que le danger que court l'avenir
de la cité soit souvent aussi grand, il semble
qu'elles l'oublient. Elles ont tout prévu jusqu'au
moment où elles permirent le massacre des
reines rivales. Mais arrivé là, leur instinct
s'arrête ; il y a comme un trou dans leur prudence. Elles paraissent donc assez indifférentes.
Elles lèvent la tête, reconnaissent peut-être le
témoignage meurtrier de la fécondation, mais
encore méfiantes, ne manifestent pas l'allégresse que notre imagination attendait. Positives et lentes à l'illusion, avant de se réjouir.
elles attendent probablement d'autres preuves,
On a tort de vouloir rendre logiques et huma-
niser à l'extrême tous les sentiments de
petits êtres si différents de nous. Avec les
abeilles, comme avec tous les animaux qui
portent en eux un reflet de notre intelligence,
on arrive rarement à des résultats aussi précis
que ceux qu'on décrit dans les livres. Trop

de circonstances nous demeurent inconnues. Pourquoi les montrer plus parfaites qu'elles ne sont, en disant ce qui n'est pas ? Si quelques-uns jugent qu'elles seraient plus intéressantes si elles étaient pareilles à nous-mêmes, c'est qu'ils n'ont pas encore une idée juste de ce qui doit éveiller l'intérêt d'un esprit sincère. Le but de l'observateur n'est pas d'étonner, mais de comprendre, et il est aussi curieux de marquer simplement les lacunes d'une intelligence et tous les indices d'un régime cérébral qui diffère du nôtre, que d'en rapporter des merveilles.

Pourtant, l'indifférence n'est pas unanime, et lorsque la reine haletante arrive sur la planchette d'abordage, quelques groupes se forment et l'accompagnent sous les voûtes, où le soleil, héros de toutes les fêtes de la ruche, pénètre à petits pas craintifs et trempe d'ambre et d'azur les murailles de cire et les rideaux de miel. Du reste, la nouvelle épousée ne se trouble pas plus que son peuple, et il n'y a point place pour de nombreuses émotions dans son étroit cerveau de reine pratique et barbare. Elle n'a qu'une préoccupation, c'est de se débarrasser au plus vite des souvenirs importuns de l'époux qui entravent sa démarche. Elle s'assied sur le seuil, et arrache avec soin les organes inutiles, que des ouvrières emportent à mesure et vont jeter au loin ; car le mâle lui a

donné tout ce qu'il possédait et beaucoup plus
qu'il n'était nécessaire. Elle ne garde, dans sa
spermathèque, que le liquide séminal où
nagent les millions de germes qui, jusqu'à son
dernier jour, viendront un à un, au passage
des œufs, accomplir dans l'ombre de son corps
l'union mystérieuse de l'élément mâle et
femelle dont naîtront les ouvrières. Par un
échange curieux, c'est elle qui fournit le principe mâle, et le mâle le principe femelle. Deux
jours après l'accouplement, elle dépose ses
premiers œufs, et aussitôt le peuple l'entoure
de soins minutieux. Dès lors, douée d'un
double sexe, renfermant en elle un mâle inépuisable, elle commence sa véritable vie, elle
ne quitte plus la ruche, ne revoit plus la
lumière, si ce n'est pour accompagner un
essaim ; et sa fécondité ne s'arrête qu'aux
approches de la mort.

(VII)

Voilà de prodigieuses noces, les plus féeriques que nous puissions rêver, azurées et tragiques, emportées par l'élan du désir au-dessus
de la vie, foudroyantes et impérissables, uniques et éblouissantes, solitaires et infinies.
Voilà d'admirables ivresses où la mort, sur-

venue dans ce qu'il y a de plus limpide et de
plus beau autour de cette sphère : l'espace vir-
ginal et sans bornes, fixe dans la transparence
auguste du grand ciel la seconde du bonheur,
purifie dans la lumière immaculée, ce que
l'amour a toujours d'un peu misérable, rend
inoubliable le baiser, et se contentant cette
fois d'une dîme indulgente, de ses mains
devenues maternelles, prend elle-même le
soin d'introduire et d'unir pour un long avenir
inséparable, dans un seul et même corps, deux
petites vies fragiles.

La vérité profonde n'a pas cette poésie, elle
en possède une autre que nous sommes moins
aptes à saisir, mais que nous finirons peut-être
par comprendre et aimer. La nature ne s'est
pas souciée de procurer à ces deux « raccourcis
d'atome », comme les appellerait Pascal, un
mariage resplendissant, une idéale minute
d'amour. Elle n'a eu en vue, nous l'avons déjà
dit, que l'amélioration de l'espèce par la fécondation croisée. Pour l'assurer, elle a disposé
l'organe du mâle d'une façon si particulière
qu'il lui est impossible d'en faire usage ailleurs
que dans l'espace. Il faut d'abord que par un
vol prolongé il dilate complètement ses deux
grands sacs trachéens. Ces énormes ampoules
qui se gorgent d'azur, refoulent alors les
parties basses de l'abdomen et permettent l'ex-
sertion de l'organe. C'est là tout le secret

physiologique, assez vulgaire diront les uns, presque fâcheux affirmeront les autres, de l'essor admirable des amants, de l'éblouissante poursuite de ces noces magnifiques.

(VIII)

« Et nous, se demande un poète, devrons-nous donc toujours nous réjouir au-dessus de la vérité ? »

Oui, à tout propos, à tout moment, en toutes choses, réjouissons-nous, non pas au-dessus de la vérité, ce qui est impossible puisque nous ignorons où elle se trouve, mais au-dessus des petites vérités que nous entrevoyons. Si quelque hasard, quelque souvenir, quelque illusion, quelque passion, n'importe quel motif en un mot, fait qu'un objet se montre à nous plus beau qu'il ne se montre aux autres, que d'abord ce motif nous soit cher. Peut-être n'est-il qu'erreur : l'erreur n'empêche point que le moment où l'objet nous paraît le plus admirable est celui où nous avons le plus de chance d'apercevoir sa vérité. La beauté que nous lui prêtons dirige notre attention sur sa beauté et sa grandeur réelles, qui ne sont point

faciles à découvrir, et se trouvent dans les rapports que tout objet a nécessairement avec des
lois, avec des forces générales et éternelles. La
faculté d'admirer que nous aurons fait naître à
propos d'une illusion ne sera pas perdue pour
la vérité qui viendra tôt au tard. C'est avec des
mots, avec des sentiments, c'est dans la cha-
leur développée par d'anciennes beautés imaginaires, que l'humanité accueille aujourd'hui
des vérités qui peut-être ne seraient pas nées,
et n'auraient pu trouver un milieu favorable,
si ces illusions sacrifiées n'avaient d'abord
habité et réchauffé le cœur et la raison où les
vérités vont descendre. Heureux les yeux qui
n'ont pas besoin d'illusion pour voir que le
spectacle est grand ! Pour les autres, c'est
l'illusion qui leur apprend à regarder, à admirer
et à se réjouir. Et si haut qu'ils regardent, ils
ne regarderont pas trop haut. Dès qu'on s'en
approche, la vérité s'élève ; dès qu'on l'admire
on s'en approche. Et si haut qu'ils se réjouis-
sent, ils ne se réjouiront jamais dans le vide ni
au-dessus de la vérité inconnue et éternelle qui
est sur toute chose comme de la beauté en
suspens.

LE TEMPLE ENSEVELI [1]

LE PASSÉ

(I)

Derrière nous notre passé s'étend en longue perspective. Il dort au loin, comme une ville abandonnée dans la brume. Quelques sommets le délimitent et le dominent. Quelques actes importants s'y élèvent pareils à des tours, les unes encore éclairées, les autres à demi ruinées et s'inclinant peu à peu sous le poids de l'oubli. Des arbres s'effeuillent, des pans de mur s'effritent, de grands espaces d'ombre s'élargissent. Tout cela paraît mort et n'avoir d'autres mouvements que ceux dont l'anime illusoirement la lente décomposition de notre mémoire. Mais à part cette vie empruntée à la mort même de nos souvenirs, il semble que tout soit définitivement immobile, à jamais

---

(1) *Le Temple enseveli*, 1 vol. Fasquelle, édit. 1902.

immuable, et séparé du présent et de l'avenir par un fleuve que rien ne peut plus traverser.

En réalité cela vit ; et pour beaucoup d'entre nous, plus ardemment et plus profondément que le présent ou l'avenir. En réalité, cette ville morte est souvent le foyer le plus actif de l'existence ; et selon l'esprit qui les y ramène, les uns en tirent toutes leurs richesses, les autres les y engloutissent.

(II)

Il en est de nos idées sur le passé comme de nos idées sur l'amour, la justice, le destin, le bonheur et la plupart de ces organismes, spiri- tuels, incertains et néanmoins puissants qui représentent les grandes forces auxquelles nous obéissons. Nous les avons reçues toutes faites de ceux qui nous précédèrent ; et même lorsque s'éveille notre seconde conscience, celle qui se flatte de n'accepter plus rien les yeux fermés, même lorsque nous nous appliquons à les examiner, nous perdons notre temps à inter- roger celles qui parlent haut et ne cessent de se répéter, au lieu de rechercher s'il ne s'en trouve pas d'autres autour d'elles qui n'aient encore rien dit. D'habitude, il ne faut pas aller

bien loin pour découvrir ces dernières. Elles
attendent en nous que nous leur adressions la
parole. Du reste, dans leur silence, elles ne
sont pas oisives. Par-dessus les convictions
bavardes, elles dirigent tranquillement une
partie de notre vie réelle, et, étant plus près de
la vérité que leurs sœurs satisfaites, elles sont
bien souvent plus simples et plus belles.

(III)

Parmi ces idées toutes faites, celles qui président à notre conception du passé sont particulièrement arrêtées. Grâce à elles, le passé
nous paraît une puissance aussi importante,
aussi inébranlable que le Destin. Il est le destin
qui agit en arrière et donne la main à celui qui
agit en avant de nous. Il lui passe le dernier
anneau de nos chaînes. Il nous pousse avec la
même brutalité irrésistible que l'autre nous
tire. Peut-être sa brutalité est-elle plus saisissante et plus terrible. On peut douter du destin.
C'est un dieu dont beaucoup ne subissent pas
l'atteinte. Mais personne ne songe à contester la
force du passé. Il paraît impossible de n'en point
éprouver tôt ou tard les effets. Ceux-là mêmes

qui se refusent à admettre tout ce qui n'est pas
tangible reportent sur ce passé qu'ils peuvent
toucher du doigt, toute l'influence, toutes les
pensées de mystère et d'intervention souveraine
qu'ils ôtent à ce qu'ils nient, pour faire de lui
le dieu presque unique et d'autant plus redoutable de leur Olympe dépeuplé.

(IV)

En vérité, la force du passé est une des plus
lourdes qui pèsent sur les hommes et les cour-
bent vers la tristesse. Pourtant, aucune ne
serait plus docile, ne suivrait plus volontiers
la direction que nous lui donnerions si nous
savions tirer meilleur parti de sa docilité. A y
bien réfléchir, le passé nous appartient aussi
réellement que le présent, et il est plus mal-
léable que l'avenir. Autant que le présent, bien
plus que l'avenir, il est tout entier dans notre
pensée, et constamment dans notre main ; et
cela est vrai non seulement des régions de
notre passé matériel où il nous est encore possible de relever les ruines que nous avons
faites, mais aussi des parties de ce passé qui
semblent irrémédiablement soustraites à nos
bonnes intentions trop tardives ; et surtout de
notre passé moral et de tout ce qu'on croit le
plus irréparable en lui.

(V)

« Le passé est passé », disons-nous ; et cela
n'est pas vrai ; le passé est toujours présent.
« Nous portons le poids de notre passé »,
affirmons-nous encore ; et cela n'est pas vrai ;
c'est le passé qui porte notre poids. « Rien ne
peut effacer le passé. » Et cela n'est pas vrai ; le
présent et l'avenir, au moindre signe de notre
volonté, parcourent le passé et y effacent tout
ce que nous leur enjoignons d'y effacer. « L'indestructible, l'irréparable, l'immuable passé ! »
Et cela n'est pas vrai non plus. C'est le présent
qui est immuable et ne répare rien dans ceux
qui parlent ainsi. « Mon passé est mauvais, il
est triste, il est vide, disons-nous enfin, je n'y
trouve pas une minute de beauté, de bonheur
ou d'amour ; je n'y vois que des ruines sans
grandeur... » Et tout cela n'est pas vrai ; car
vous y voyez exactement ce que vous y mettez
dans l'instant même que vous le regardez.

(VI)

Notre passé dépend tout entier de notre présent et change perpétuellement avec lui. Il
prend immédiatement la forme des vases dans

lesquels notre pensée d'aujourd'hui le recueille.
Il est contenu dans notre mémoire, et rien n'est
plus variable et plus impressionnable, rien n'est
moins indépendant que cette mémoire, ali-
mentée et travaillée sans cesse par notre cœur
et notre intelligence, qui deviennent plus petits
ou plus grands, meilleurs ou pires selon les
efforts que nous faisons. Ce qui importe à
chacun de nous dans le passé, ce qui nous en
reste, ce qui est partie de nous-mêmes, ce ne
sont pas les actes accomplis ou les aventures
subies, ce sont les réactions morales que pro-
duisent en ce moment sur nous les événements
qui ont eu lieu ; c'est l'être intérieur qu'ils ont
contribué à façonner ; et ces réactions qui créent
l'être intime et souverain dépendent entièrement de la manière dontnous envisageons les
événements révolus. Elles varient suivant la
substance morale qu'elles rencontrent en nous.
Or, à chaque degré que gravissent notre intelligence et nos sentiments, la substance morale
de notre être se modifie ; et aussitôt les plus
immuables faits qui paraissent scellés dans la
pierrre et le bronze revêtent un aspect tout différent, se déplacent et se raniment, nous donnent
des conseils plus vastes et plus courageux,
entraînent la mémoire dans leur ascension, et,
d'un amas de ruines qui pourrissaient dans
l'ombre, reforment une cité qui se repeuple et
sur laquelle le soleil se lève de nouveau.

(VII)

C'est arbitrairement que nous situons derrière nous un certain nombre d'événements. Nous les reléguons à l'horizon de nos souvenirs ; et une fois là, nous nous imaginons qu'ils appartiennent à un monde dans lequel tous les efforts des hommes réunis ne peuvent plus relever une fleur ni essuyer une larme. Mais, étrange contradiction ! tout en admettant que nous n'avons plus aucune action sur eux, nous sommes convaincus qu'ils agissent sur nous. La vérité est qu'ils n'agissent sur nous qu'autant que nous renonçons à agir sur eux. Le passé ne s'affirme que pour ceux en qui la vie morale s'est arrêtée. Il ne se fixe dans sa forme redoutable qu'à partir de cet arrêt. A compter de ce point il y a vraiment derrière nous de l'irréparable, et le poids de ce que nous avons fait descend sur nos épaules. Mais tant que nous ne nous interrompons pas de vivre par l'esprit et le caractère, il demeure en suspens sur notre tête ; et pareil à ces nuages complaisants qu'Hamlet montre à Polonius, il attend que notre regard lui transmette la figure d'espérance ou de crainte, de trouble ou de sérénité, que nous élaborons en nous.

(VIII)

Dès que notre activité morale s'alentit, les
événements accomplis accourent et nous
assaillent ; et malheur à celui qui leur ouvre la
porte et les laisse s'installer à son foyer ! A
l'envi, ils l'accablent des dons les plus propres
à briser les courages. Et le passé le plus heureux et le plus noble, quand nous lui permettons de s'introduire en nous, non comme un
hôte que nous y invitons, mais comme un
parasite qui s'impose, est aussi dangereux que le
passé le plus lugubre et le plus criminel. Si
celui-ci n'apporte que des remords impuissants,
celui-là n'amène que des regrets stériles ; et
remords et regrets qui pénètrent ainsi nous
sont également funestes. Pour tirer du passé ce
qu'il contient de précieux — et il contient presque toutes nos richesses — il faut aller à lui
aux heures où notre force est dans sa plénitude, entrer en maître dans son domaine, y
choisir ce qui nous convient, et lui laisser le
reste, en lui défendant de franchir notre seuil
sans notre ordre. Comme tout ce qui ne vit en
somme qu'aux dépens de notre force spirituelle,

il prendra tôt l'habitude d'obéir. Peut-être
essayera-t-il d'abord de résister. Il aura recours
aux ruses, aux prières. Il voudra nous tenter et
nous attendrir. Il nous fera voir des espoirs
déçus, des joies qui ne reviendront plus, des
reproches mérités, des affections brisées, de
l'amour qui est mort, de la haine qui expire, de
la foi gaspillée, de la beauté perdue, tout ce
qui fut un jour le merveilleux ressort de notre
ardeur à vivre, et tout ce que ses ruines
recèlent maintenant de tristesses qui nous rap-
pellent, et de bonheurs défunts. Mais nous pas-
serons outre, sans retourner la tête, écartant
de la main la foule des souvenirs, comme le
sage Ulysse, dans la nuit Cimmérienne, à l'aide
de son épée, écartait du sang noir qui devait les
faire revivre et leur rendre un instant la parole,
toutes les ombres des morts — même celle de sa
mère — qu'il n'avait pas mission d'interroger.
Nous irons droit à telle joie, à tel regret, à tel
remords dont le conseil est nécessaire ; nous
irons poser des questions très précises à telle
injustice, soit que nous voulions réparer celle-ci
s'il est encore possible de le faire, soit que
nous venions demander au spectacle de telle
autre que nous avons commise et dont les victimes ne sont plus, la force indispensable pour
nous élever au-dessus des injustices que nous
nous sentons encore capables de commettre
aujourd'hui.

(IX)

Oui, alors même qu'il y aurait dans notre
passé des crimes que notre meilleure volonté
ne puisse plus atteindre, et dont il ne soit plus
possible qu'elle arrête les effets, si l'on considère, par-dessus les circonstances de temps et
de lieu, le vaste plan de chaque existence
humaine, ces crimes sortent réellement de notre
vie dès l'instant que nous sentons qu'aucune
tentation, qu'aucune force de ce monde ne
pourrait nous induire à en commettre de semblables. Ils ne sont pas pardonnés au dehors,
car peu de choses s'oublient et se pardonnent
dans la sphère extérieure ; ils continuent de
produire leurs effets matériels, car les lois des
effets et des causes sont étrangères à celles de
notre conscience. Mais au tribunal de notre
justice personnelle, le seul qui ait une action
décisive sur notre vie inaccessible, le seul qui
nous juge efficacement jusqu'aux moelles et
dont nous ne puissions éluder les arrêts, une
action malfaisante que nous regardons de plus
haut que le lieu où elle fut hasardée, est une
action qui n'existe plus que pour nous rendre
la descente plus difficile, et qui n'a désormais
le droit de se redresser devant nous qu'au

moment où nous penchons de nouveau vers l'abîme qu'elle garde.

Certes, c'est une des plus profondes tristesses humaines, que d'avoir dans son passé des injustices dont toutes les routes sont, pour ainsi dire, barrées derrière nous, dont il n'est plus possible de retrouver, de rejoindre, de relever ou de consoler les victimes. C'est une des douleurs qui s'oublient le moins vite que d'avoir abusé de sa force pour dépouiller le faible qui a définitivement succombé ; d'avoir iniquement et mortellement fait souffrir un cœur qui nous aimait, ou simplement méconnu une affection touchante qui s'offrait. Il est nécessaire que cela pèse d'un grand poids sur notre existence. Mais selon le point où nous avons fixé notre conscience actuelle, il dépend de nous que ce poids fasse descendre ou remonter toute notre destinée morale. Il est inévitable, — car presque rien ne meurt de ce que nous faisons, — il est inévitable que beaucoup d'injustices commises ressuscitent quelque jour, pour réclamer les parts qui leur demeurent dues, et commencer de légitimes représailles. Elles atteindront alors notre vie extérieure ; mais avant de pouvoir toucher à l'être intime qui est au centre de cette vie, elles seront forcées de passer par le jugement que nous avons déjà porté sur nous-mêmes ; et la qualité de ce jugement déterminera l'attitude de ces mysté-

rieuses envoyées qui viennent des profondeurs
où s'élabore l'éternel équilibre des effets et des
causes. Si nous nous sommes sincèrement
interrogés et condamnés du haut de notre
conscience nouvelle, ce ne seront point de
soudaines et menaçantes revendicatrices que
nous verrons surgir de toutes parts, mais de
bienveillantes visiteuses, presque des amies
attendues, qui s'approcheront en silence. Elles
savent d'avance qu'elles trouveront un homme
qui n'est plus le coupable qu'elles cherchent ;
et, au lieu des idées de révolte, de désespoir,
de haine, au lieu des châtiments qui dégradent
ou qui tuent, elles verseront dans notre cœur
les pensées et les peines qui ennoblissent,
purifient et consolent.

(X)

Entre beaucoup de choses, qui dérivent
presque toutes d'un même principe de confiance et d'ardeur, ce qui différencie les heureux et les forts de ceux qui pleurent et sont
découragés, c'est bien moins ce qu'ils ont fait
ou subi que la manière dont ils savent se
rappeler ce qu'ils firent ou subirent. A le

prendre en soi, il n'y a de passé heureux pour
personne ; et les privilégiés du destin, s'ils con-
sidèrent ce qui demeure des années écoulées
dans le plus grand bonheur, ont peut-être plus
de raison de s'attrister que les infortunés qui
parcourent les restes d'une vie de misère. Tout
ce qui fut un jour et n'est plus aujourd'hui
incline à la tristesse, surtout ce qui fut très
beau et très heureux. L'objet des regrets —
que ceux-ci se tournent vers ce qui a été ou ce
qui aurait pu être — est donc à peu près le
même pour tous les hommes ; et leur tristesse
devrait être identique. Pourtant, elle ne l'est
point ; ici elle règne sans interruption, et là-
bas ne se montre qu'à de longs intervalles. Il
faut donc qu'elle dépende d'autre chose que
des faits accomplis. Elle dépend de la façon
dont l'homme agit sur eux. Les vainqueurs de
ce monde, ceux qui ne perdent pas leur temps
à fermer l'horizon avec de l'immuable et de
l'irréparable imaginaires, ceux qui semblent
naître chaque matin dans un monde qui naît
sans cesse à l'avenir, ceux-là savent d'instinct
que ce qui paraît ne plus exister, existe toujours vierge, que ce qu'on croit fini est en train
de s'achever. Ils savent que les années que le
temps leur a prises sont encore au travail, et
sous leur nouveau maître n'obéissent qu'à
l'ancien. Ils savent que leur passé est toujours
en mouvement ; qu'hier qui fut lugubre, in-

firme ou très coupable, reviendra tout joyeux, innocent, rajeuni, sur la route de demain. Ils savent que leur image n'est pas encore fixée dans les jours écoulés, qu'il suffit d'une pensée ou d'un acte décisifs pour bouleverser toute l'œuvre. Ils savent que si vieille, si compacte que soit l'ombre étendue derrière eux, ils n'ont qu'à faire un geste d'allégresse ou d'espoir pour que l'ombre aussitôt l'imite et le prolonge jusqu'aux petites ruines de leur première enfance, et tire de ces débris des trésors imprévus. Ils savent que tout peut s'embellir et devenir meilleur rétroactivement, et que les morts eux-mêmes casseront leurs sentences au fond de leurs tombeaux pour juger à nouveau un passé qu'aujourd'hui vient de faire revivre et de transfigurer.

Ils sont heureux ceux qui trouvent cet instinct aux plis de leur berceau. Mais ceux qui ne l'ont point ne peuvent-ils l'imiter, et l'une des missions de la sagesse humaine n'est-elle pas de nous faire acquérir les instincts salutaires que la nature nous avait refusés ?

(XI)

Ne nous endormons point dans notre passé. Plus il est heureux ou glorieux, plus il doit nous être suspect s'il tend à s'arrondir en voûte sur notre vie, s'il ne change pas sans cesse sous notre œil, si le présent s'accoutume à le visiter, non plus comme un bon ouvrier qui s'y rend pour y faire le travail auquel l'appellent les ordres d'aujourd'hui, mais comme un pèlerin passif et trop crédule qui se contente de contempler de belles ruines immobiles.

Et n'ayons pas pour lui le respect profond que l'instinct nous impose, si ce respect nous fait craindre d'en troubler la belle ordonnance. Mieux vaut un passé ordinaire, qui se tient à sa place dans sa brume, qu'un passé somptueux qui prétend régenter ce qui ne lui appartient plus. Mieux vaut un présent médiocre mais bien vivant, et qui agit comme s'il était seul au monde, qu'un présent qui se meurt fièrement dans les chaînes d'un merveilleux jadis. Un pas que nous faisons à cette heure vers un but incertain a plus d'importance pour nous que les mille lieues que nous avons faites autrefois vers une victoire éclatante mais périmée. Notre passé n'eut d'autre mission que de nous élever au moment où nous sommes, et de nous y fournir les armes, l'expérience, la pensée et la joie nécessaires. Qu'à ce moment précis, il nous retire ou détourne sur lui une parcelle de notre énergie ; si glorieux qu'il ait été, il ne fut qu'inutile, et il eût mieux valu qu'il n'eût pas existé. Quand nous lui permettons d'entraver un geste que nous allions faire, c'est alors que

notre mort commence, et que les édifices de
l'avenir prennent subitement la forme de tombeaux.

(XII)

Il est d'autres passés plus dangereux encore
que les passés de bonheur et de gloire ; ce sont
ceux que peuplent des fantômes trop puissants et trop chers. Ils sont nombreux ceux qui
périssent dans les enlacements de ces ombres
aimées. N'oublions pas ceux qui ne sont plus
là ; mais que leur présence idéale, au lieu
d'être une peine, soit une consolation. Recueillons et gardons dans une âme fidèle et heureuse en ses larmes, les jours qu'ils nous don-
nèrent. En s'en allant ils nous ont laissé le plus
pur de ce qu'ils furent, ne perdons pas dans les
mêmes ténèbres ce qu'ils nous ont laissé et ce
que la mort nous a pris. Si eux-mêmes reve-
naient sur la terre, sages, puisqu'ils ont vu ce
que nous cache encore la lumière ephémère,
ils nous diraient, je pense : « Ne pleurez pas
ainsi. Loin de nous ranimer, vos larmes nous
épuisent, puisqu'elles vous épuisent. Détachez-
vous de nous, ne pensez plus à nous, tant que
notre pensée ne mêle que des pleurs à la vie qui
nous reste dans votre propre vie. Nous ne sub-
sistons plus que dans vos souvenirs ; mais vous

croyez à tort que les seuls qui nous touchent
sont ceux qui nous regrettent. C'est tout ce que
vous faites qui se souvient de nous et réjouit
nos mânes, sans que vous le sachiez, sans qu'il
soit nécessaire de vous tourner vers nous. Si
notre pâle image attriste votre ardeur, nous
nous sentons périr d'une mort plus sensible et
plus irrévocable que la première mort ; et
quand vous vous penchez trop souvent sur nos
tombes, vous nous prenez la vie, l'amour et le
courage que vous croyez nous rendre. »

« C'est en vous que nous sommes ; c'est en
toute votre vie que se trouve notre vie ; et quand
vous grandissez, même en nous oubliant, nous
grandissons aussi ; et nos ombres respirent
comme des prisonnières dont la prison s'entr'ouvre. »

« Si nous avons appris quelque chose de
nouveau dans le monde où nous sommes, c'est
d'abord que le bien que nous vous avons fait,
alors que nous étions comme vous sur cette
terre, ne balance pas le mal que fait un souvenir qui diminue la force et la confiance de la
vie. »

(XIII)

Surtout, n'envions le passé d'aucun homme.
Notre passé fut créé par nous-mêmes, pour nous

seuls. Il est le seul qui nous convienne ; le seul qui ait à nous apprendre une vérité que personne n'eût pu nous apprendre, le seul qui nous donne une force que personne ne nous puisse donner. Bon ou mauvais, étincelant ou morne, il est pour nous comme un musée qui renferme des chefs-d'œuvre uniques qui ne parlent qu'à nous ; car aucun chef-d'œuvre étranger ne saurait égaler une action que nous avons accomplie, un baiser que nous avons reçu, une beauté que nous avons sentie, une souffrance que nous avons subie, une angoisse qui nous a étreints, un amour qui nous a couverts de sourires ou de larmes. Notre passé, c'est nous-mêmes, ce que nous sommes et ce que nous deviendrons ; et sur cette sphère inconnue où nous nous agitons, nul, — du plus heureux au plus infortuné, — nul ne saurait prévoir ce qu'il perdrait à substituer une trace étrangère à la trace qu'il devait laisser dans la vie. Notre passé, c'est notre secret promulgué par la bouche des années, c'est l'image la plus mystérieuse de notre être, surprise et gardée par le Temps. L'image n'est pas morte ; un rien la dégrade ou la pare, elle peut encore s'éclairer ou s'assombrir, rire ou pleurer, exprimer la haine ou l'amour ; mais elle demeure à jamais reconnaissable au milieu des myriades d'images qui l'entourent. Elle nous représente derrière nous, comme nos aspirations et nos espoirs nous représentent dans l'avenir ; et les deux visages se confondent pour nous apprendre à nous-mêmes ce que nous sommes.

Ce qui est enviable, ce ne sont point les faits du passé, mais le tissu spirituel dont le souvenir des jours qui ne sont plus vient envelopper le sage. Ce tissu, qu'il soit formé dans la douleur ou dans la joie, qu'il soit tiré de l'abondance ou de la misère des événements, peut être également précieux ; et l'on ne saurait dire, à le voir resplendir sur la vie qui le porte, si les étoiles et les pierreries qui l'animent furent trouvées dans les cendres parcimonieuses d'une cabane ou sur les marches d'un palais.

Il n'y a point de passé vide ou pauvre, il n'y a point d'événements misérables, il n'y a que des événements misérablement accueillis. Si réellement il ne vous était rien arrivé, ce serait l'aventure la plus extraordinaire qui fût jamais arrivée à personne, et vous en pourriez tirer une lumière non moins extraordinaire. En réalité, les mêmes faits, les mêmes passions, les mêmes possibilités et des occasions à peu près identiques attendent et sollicitent la plupart des hommes. Les circonstances et leur éclat diffèrent, mais bien moins que les réactions intérieures ; et un événement minime et inachevé, tombant dans un esprit et dans un cœur féconds, atteint aisément la hauteur et les proportions morales d'une conjoncture analogue qui, sur un autre plan, ébranlerait un peuple.

A celui qui verrait étalés devant lui les passés divers d'une assemblée humaine, s'il ne percevait en même temps les conséquences morales de tous ces faits épars et dissemblables, il serait bien difficile de désigner lequel de ces passés il souhaiterait vivre. Peut-être se tromperait-il mortellement, en choisissant telle existence dont débordent, pareils à d'énormes joyaux, des bonheurs et des triomphes incomparables, tandis que son regard glisserait avec indifférence sur telle autre, apparemment déserte et cependant peuplée d'émotions sereines et de hautes pensées rédemptrices qui la rendent heureuse entre toutes, mais ne se montrent point. Car nous savons bien qu'il suffit d'une pensée pour bouleverser, aussi profondément que ferait une grande victoire ou une grande défaite, ce que le destin nous donna et ce qu'il nous réserve. Elle ne fait pas de bruit, elle ne choque pas un caillou sur la route illusoire que l'on voit ; mais tranquillement elle élève une pyramide indestructible au tournant du chemin plus réel que suit la vie secrète ; et soudain, tout ce qui nous arrive, jusqu'aux phénomènes du ciel et de la terre, prend une direction nouvelle.

Ce qu'il y a de plus important dans la vie de Siegfried, ce n'est pas le moment où il forge l'épée prodigieuse, ni celui où il tue le dragon et oblige les dieux à lui céder la place ; ce n'est pas davantage la minute éblouie où il trouve l'amour sur la montagne en flammes, mais la brève seconde arrachée aux décrets éternels, le petit geste puéril où, ayant approché par mégarde de ses lèvres l'une de ses mains rougies du sang de sa mystérieuse victime, ses yeux et ses oreilles s'ouvrent ; il entend le langage caché de tout ce qui l'entoure, surprend la trahison du Nain qui représente les mauvaises puissances, et tout à coup, apprend à faire ce qui est prescrit par les dieux.

LE DOUBLE JARDIN [1]

SUR LA MORT D'UN PETIT CHIEN

J'AI perdu ces jours-ci un petit bouledogue. Il venait d'accomplir le sixième mois de sa brève existence. Il n'a pas eu d'histoire. Ses yeux intelligents se sont ouverts pour regarder le monde et pour aimer les hommes, puis se sont refermés sur les secrets injustes de la mort.

L'ami qui me l'avait offert lui avait donné, peut-être par antiphrase, le nom assez imprévu de *Pelléas*. Pourquoi l'aurais-je débaptisé ? Un pauvre chien aimant, dévoué et loyal déshonore-t-il un nom d'homme ou de héros imaginaire ?

Pelléas avait un grand front bombé et puissant, pareil à celui de Socrate ou de Verlaine ; et sous un petit nez noir et ramassé comme une affirmation mécontente, de larges babines pendantes et symétriques faisaient de sa tête une sorte

---

(1) *Le Double Jardin*, 1 vol., Fasquelle éditeur, 1904.

de menace massive, obstinée, pensive et trian-
gulaire. Il était beau comme un beau monstre
naturel qui s'est strictement conformé aux lois de
son espèce. Et quel sourire d'obligeance attentive, d'innocence incorruptible, de soumission
affectueuse, de reconnaissance sans bornes et
d'abandon total illuminait, à la moindre caresse,
cet adorable masque de laideur ! D'où émanait-
il, au juste, ce sourire ? Des yeux ingénus et at-
tendris ? des oreilles dressées vers les paroles
de l'homme ? du front qui se déridait pour comprendre et aimer, des quatre dents minuscules, blanches et débordantes, qui sur les lèvres noires rayon-
naient d'allégresse, ou du tronçon de queue qui,
brusquement coudé, selon la coutume de la race,
s'évertuait à l'autre extrémité pour attester la
joie intime et passionnée qui remplissait un petit
être heureux de rencontrer une fois de plus la
main et le regard du dieu auquel il se livrait ?

Pelléas était né à Paris, et je l'avais emmené
à la campagne. De bonnes grosses pattes, infor-
mes et pas encore figées, portaient mollement
par les sentiers inexplorés de sa nouvelle existence sa tête énorme et grave, camuse et comme
alourdie de pensées.

C'est qu'elle commençait, cette tête ingrate
et un peu triste, pareille à celle d'un enfant sur-
mené, le travail accablant qui écrase tout cerveau au début de la vie. Il lui fallait, en moins
de cinq ou six semaines, faire pénétrer et orga-

niser en elle une représentation et une conception satisfaisantes de l'univers. L'homme, aidé de toute la science de ses aînés et de ses frères, met trente ou quarante ans à esquisser cette conception ou plutôt à entasser autour d'elle, comme autour d'un palais de nuages, la conscience d'une ignorance qui s'élève ; mais l'humble chien doit la débrouiller en quelques jours ; et cependant, aux yeux d'un dieu qui saurait tout, n'aurait-elle pas à peu près le même poids et la même valeur que la nôtre ?...

Il s'agissait donc d'étudier la terre que l'on peut gratter et creuser, et qui parfois recèle de surprenantes choses : vers de terre et vers blancs, taupes, mulots, grillons ; il s'agissait de jeter vers le ciel, qui n'a pas d'intérêt puisque rien n'y est comestible, un seul regard qui le supprime une fois pour toutes ; de reconnaître l'herbe, l'herbe admirable et verte, l'herbe élastique et fraîche, champ de courses et de jeux, couche bienveillante et sans bornes où se cache le bon chiendent utile à la santé. Il s'agissait encore de faire, pêle-mêle, des milliers de constatations urgentes et curieuses. Il fallait, par exemple, sans autre guide que la douleur, apprendre à calculer l'élévation des objets du haut desquels on peut s'élancer dans le vide, se convaincre qu'il est vain de poursuivre les oiseaux qui s'envolent, et qu'on ne peut grimper aux arbres pour y rattraper les chats qui vous conspuent;

distinguer les nappes de soleil, où le sommeil
est délicieux, des flaques d'ombre où l'on grelotte;
remarquer avec stupéfaction que la pluie ne
tombe pas dans les maisons, que l'eau est froide,
inhabitable et dangereuse, tandis que le feu est
bienfaisant à distance, mais terrible de près;
observer que les herbages, la cour des fermes
et parfois les chemins sont hantés de gigantes-
ques créatures pourvues de cornes menaçantes,
monstres peut-être débonnaires, en tout cas silencieux, qu'on peut flairer assez indiscrètement
sans qu'ils s'en formalisent, mais qui ne livrent pas
leur arrière-pensée; éprouver, à la suite d'expériences humiliantes et pénibles, qu'il n'est
pas permis d'obéir indistinctement à toutes les
lois de la nature dans la demeure des dieux;
reconnaître que la cuisine est le lieu privilégié
et le plus agréable de cette demeure divine, bien
qu'on n'y puisse séjourner à cause de la cuisinière,
puissance considérable mais jalouse; s'assurer
que les portes sont des volontés importantes
et capricieuses qui parfois mènent à la félicité,
mais qui le plus souvent, hermétiquement closes,
muettes et rigides, hautaines et sans cœur, restent
sourdes à toutes les supplications; admettre,
une fois pour toutes, que les biens essentiels de
l'existence, les bonheurs incontestables, généralement emprisonnés dans les marmites et les casseroles, sont inaccessibles; savoir les regarder
avec une indifférence laborieusement acquise,

s'exercer à les ignorer en se disant qu'il s'agit
là d'objets probablement sacrés, puisqu'il suffit de les effleurer du bout d'une langue res-
pectueuse pour déchaîner, magiquement, la colère
unanime de tous les dieux de la maison...

***

Et puis, que penser de la table sur laquelle
se passent tant de choses qu'on ne peut devi-
ner ? des fauteuils ironiques où il est défendu
de dormir, des plats et des assiettes qui ne contiennent plus rien lorsqu'on vous les confie ?
de la lampe qui chasse les ténèbres, et de l'âtre
qui met en fuite les jours froids ?... Que d'ordres,
que de dangers, que de défenses, que de problèmes, que d'énigmes qu'il faut classer dans
la mémoire surchargée !... Et comment concilier
tout cela avec d'autres lois, d'autres énigmes
plus vastes et plus impérieuses, qu'on porte en
soi, dans son instinct, qui surgissent et se déve-
loppent d'heure en heure, qui viennent du fond
des temps et de la race, envahissent le sang,
les muscles et les nerfs, et s'affirment soudain
plus irrésistibles et plus puissantes que la douleur, l'ordre même du maître et la crainte de
la mort ? Ainsi pour ne citer que cet exemple,
lorsque l'heure du sommeil a sonné pour les hom-

mes, on s'est retiré dans sa niche, entouré des ténèbres, du silence et de la solitude formidable de la
nuit. Tout dort dans la maison du maître. On se
sent très petit et très faible en présence du mystère. On sait que l'ombre est peuplée d'ennemis
qui se glissent et attendent. On suspecte les
arbres, le vent qui passe et les rayons de lune.
On voudrait se cacher et se faire oublier en retenant son souffle. Pourtant il faut veiller ; il faut,
au moindre bruit, sortir de sa retraite, affronter l'invisible et troubler brusquement le silence
imposant des étoiles au risque d'attirer sur soi
seul le malheur ou le crime qui chuchote. Quel
que soit l'ennemi, fût-il l'homme, c'est-à-dire
le frère même du dieu qu'il s'agit de défendre, il
faut l'attaquer aveuglément, lui sauter à la gorge,
planter des dents, peut-être sacrilèges, dans de
la chair humaine, oublier les prestiges d'une
main et d'une voix pareilles à celles du maître,
ne jamais se taire, ne jamais fuir, ne jamais se
laisser tenter ni corrompre, et, perdu dans la nuit
sans secours, prolonger l'alarme héroïque jusqu'au dernier soupir. Voilà le grand devoir légué
par les ancêtres, le devoir essentiel et plus fort que
la mort, que la volonté même et la colère de
l'homme ne peuvent rebuter. C'est toute notre
humble histoire liée à celle du chien dans nos
premières luttes contre tout ce qui respirait ;
c'est toute cette humble et effrayante histoire,
qui renaît chaque nuit dans la mémoire primitive

de notre ami des mauvais jours. Et quand, dans nos demeures plus sûres, il nous arrive de le punir d'un zèle intempestif, il nous lance un regard de reproche étonné, comme pour nous signifier que nous sommes dans l'erreur, et que, si nous perdons de vue la clause capitale du pacte d'alliance qu'il a fait avec nous au temps où nous habitions les cavernes, les forêts et les marécages, il y reste fidèle malgré nous et demeure plus près de la vérité éternelle de la vie qui est pleine d'embûches et de forces hostiles.

Mais que de soins et que d'études pour arriver à remplir sagement ce devoir ! Et qu'il s'est compliqué depuis le temps des grottes silencieuses et des grands lacs déserts ! C'était si simple, alors, si clair et si facile ! L'antre solitaire s'ouvrait au flanc du mont, et tout ce qui s'avançait, tout ce qui remuait à l'horizon des plaines ou des bois, était l'ennemi indubitable !... Mais aujourd'hui, on ne sait plus... Il faut se mettre au courant d'une civilisation qu'on désapprouve, avoir l'air de comprendre mille choses incompréhensibles... Ainsi, il paraît évident que désormais le monde entier n'appartient plus au maître, que sa propriété consent à d'inexplicables limites... Il est donc tout d'abord nécessaire qu'on sache exactement où commence et où finit le domaine sacré. Que doit-on tolérer, que faut-il interdire ? — Voilà la route où tout le monde, le pauvre même, a le droit de passer. Pourquoi ? — On n'en sait rien ; c'est un fait qu'on déplore mais qu'on doit accepter. Heureusement, par contre, voici le beau sentier, le sentier réservé, que nul ne peut fouler. Ce sentier est fidèle aux saines traditions ; il importe de ne pas le perdre de vue ; c'est par lui que les problèmes difficiles font leur entrée dans l'existence quotidienne. Voulez-vous un exemple ? — On dort tranquillement dans un rai de soleil qui recouvre de perles mouvantes et folâtres le seuil de la cuisine. Les pots de porcelaine s'amusent à se pousser du coude et à se bousculer au bord des tablettes garnies de dentelles de papier. Les casseroles de cuivre jouent à éparpiller des taches de lumière sur les murs blancs et lisses. Le fourneau maternel chantonne doucement en berçant trois marmites qui dansent avec béatitude, et par le petit trou qui éclaire son ventre, pour narguer le bon chien qui ne peut approcher, lui tire constamment une langue de feu. L'horloge, qui s'ennuie dans son armoire de chêne en attendant qu'elle sonne l'heure auguste du repas, fait aller et venir son gros nombril doré, et les mouches sournoises agacent les oreilles. Sur la table éclatante reposent un poulet, un lièvre, trois perdreaux, à côté d'autres choses qu'on appelle fruits ou légumes : petits

pois, haricots, pêches, melons, raisins, et qui ne
valent rien. La cuisinière vide un grand pois-
son d'argent et jette les entrailles (au lieu de
les offrir !) dans la boîte aux ordures. — Ah !
la boîte aux ordures ! trésor inépuisable, réceptacle d'aubaines, joyau de la maison ! On en aura
sa part exquise et subreptice, mais il ne convient
pas qu'on ait l'air de savoir où elle se trouve. Il
est strictement interdit d'y fouiller. L'homme
défend ainsi maintes choses agréables, et la vie
serait morne et les jours seraient nus s'il fallait obéir à tous les commandements de l'office,
de la cave et de la salle à manger. Par bonheur il
est distrait et ne se souvient pas longtemps des
ordres qu'il prodigue. On le trompe aisément.
On arrive à ses fins et l'on fait ce qu'on veut,
pourvu qu'avec patience on sache attendre l'heure.
On est soumis à l'homme et il est le seul dieu ;
mais on n'en a pas moins sa morale personnelle,
précise, imperturbable, qui proclame hautement
que les actes défendus deviennent très licites par
le fait même qu'ils s'accomplissent à l'insu du
maître. C'est pourquoi fermons l'œil attentif qui
a vu. Ayons l'air de dormir en rêvant à la lune.
— Tiens ! on frappe doucement à la fenêtre bleue
qui donne sur le jardin. — Qu'est-ce donc ? —
Rien, une branche d'aubépine qui vient voir ce
qu'on fait dans la cuisine fraîche. — Les arbres sont
curieux et souvent agités ; mais ils ne comptent
point, on n'a rien à leur dire, ils sont irresponsa-

bles, ils obéissent au vent qui n'a pas de principes. — Mais quoi ? — J'entends des pas !...
— Debout, l'oreille en pointe et le nez en action !..
— Non ! c'est le boulanger qui s'approche de la
grille, tandis que le facteur ouvre une petite
porte dans la haie de tilleuls. — Ils sont connus,
c'est bien... Ils apportent quelque chose, on peut les
saluer ; et la queue, circonspecte, s'agite deux ou
trois fois, avec un sourire protecteur. Autre alerte !
Qu'est-ce encore ? — Une voiture s'arrête devant le
perron. Ah ! ceci est plus grave !... Le problème
est complexe. — Il importe avant tout de copieu-
sement injurier les chevaux, grandes bêtes orgueilleuses, toujours endimanchées et toujours en
sueur, qui ne répondent pas. Cependant on examine
du coin de l'œil les personnages qui descendent.
— Ils sont bien mis et semblent pleins d'assurance.
Ils vont probablement s'asseoir à la table des
dieux. Il convient d'aboyer sans aigreur, avec une
nuance de respect, pour montrer que l'on fait son
devoir, mais qu'on le fait avec intelligence. Néanmoins, on nourrit quelque arrière-soupçon, et dans
le dos des hôtes, à la dérobée, on hume l'air avec
persévérance et d'un air entendu, afin de démêler les intentions cachées.

Mais des pas clopinants sonnent autour de
la cuisine. Cette fois c'est le pauvre qui traîne

sa besace ; l'ennemi essentiel, l'ennemi spécifique, l'ennemi héréditaire, le descendant di-
rect de celui qui rôdait autour de la caverne
encombrée d'ossements qu'on revoit tout à coup
dans la mémoire de la race. Ivre d'indignation,
l'aboi entrecoupé, les dents multipliées par la
haine et la rage, on va saisir aux grègues l'irrécon-
ciliable adversaire, lorsque la cuisinière, armée de
son balai, sceptre ancillaire et parjure, vient proté-
ger le traître ; et l'on est obligé de rentrer dans
sa niche, où, l'œil rempli de flammes impuissantes
et torves, on gronde des malédictions effroyables
mais vaines, en songeant à part soi que c'est la
fin de tout, qu'il n'y a plus de lois et que l'espèce
humaine a perdu la notion du juste et de l'injuste...

Est-ce tout ? — Pas encore, car la plus petite
vie se compose d'innombrables devoirs, et c'est
un long travail que de s'organiser une existence
heureuse sur la limite de deux mondes aussi différents que le monde des bêtes et le monde des
hommes. Comment nous en tirerions-nous s'il
nous fallait servir, tout en restant dans notre
sphère, une divinité non plus imaginaire et semblable
à nous-mêmes puisqu'elle est née de nos pensées,
mais un dieu bien visible, toujours présent, toujours actif et aussi étranger, aussi supérieur à notre
être que nous le sommes au chien ?

*
* *

A présent, pour en revenir à *Pelléas*, il sait à peu près ce qu'il faut faire et comment se conduire dans l'enceinte du maître. Mais le monde ne finit pas aux portes des maisons et de l'autre côté des murs et de la haie il y a un univers dont on n'a plus la garde, où l'on n'est plus chez soi, où les relations sont changées. De quelle façon se tenir dans la rue, dans les champs, sur le marché, dans les boutiques ? A la suite d'observations difficiles et délicates, il comprend qu'il sied de ne pas obéir aux appels étrangers, d'être poli avec indifférence envers les inconnus qui vous caressent. Il faut ensuite accomplir consciencieusement certains devoirs de mystérieuse courtoisie envers ses frères les autres chiens, respecter les poules et les canards, n'avoir pas l'air de remarquer les gâteaux du pâtissier qui se prélassent insolemment à portée de la langue, témoigner aux chats qui, sur les seuils des portes, vous provoquent par d'affreuses grimaces, un mépris silencieux mais qui se souviendra, et ne pas oublier qu'il est licite et même louable de poursuivre et d'étrangler les souris, les rats, les lapins sauvages et généralement tous les animaux (on doit le reconnaître à des marques secrètes) qui n'ont pas encore fait leur paix avec l'homme.

*

Tout cela et tant d'autres choses !... Etait-il

étonnant que *Pelléas* parût souvent pensif en face de ces problèmes sans nombre, et que son humble et doux regard fût parfois si profond et si grave, si chargé de soucis et si plein de questions illisibles ?

Hélas ! il n'a pas eu le temps d'achever la lourde et longue tâche que la nature impose à l'instinct qui s'élève pour se rapprocher d'une région plus claire... Un mal assez mystérieux et qui semble spécialement punir le seul animal qui parvienne à sortir du cercle où il est né, un mal indéfini qui emporte par centaines les petits chiens intelligents, est venu mettre fin aux destinées et à l'éducation heureuse de *Pelléas*. Je le vis, durant deux ou trois jours, et chancelant déjà tragiquement sous le poids énorme de la mort, se réjouir encore de la moindre caresse... Et maintenant tant d'efforts vers un peu plus de lumière, tant d'ardeur à aimer, de courage à comprendre, tant de joie affectueuse, tant de bons regards dévoués qui se tournaient vers l'homme pour demander son aide contre d'injustes et d'inexplicables souffrances, tant de frêles lueurs qui venaient de l'abîme profond d'un monde qui n'est plus le nôtre, tant de petites habitudes presque humaines reposent tristement sous un large sureau et dans la froide terre, en un coin du jardin...

***

L'homme aime le chien, mais qu'il l'aimerait

davantage s'il considérait, dans l'ensemble inflexible des lois de la nature, l'exception unique
qu'est cet amour qui parvient à percer, pour se
rapprocher de nous, les cloisons, partout ailleurs
imperméables, qui séparent les espèces ! Nous
sommes seuls, absolument seuls sur cette planète
de hasard, et parmi toutes les formes de la vie qui
nous entourent, pas une, hors le chien, n'a fait
alliance avec nous. Quelques êtres nous craignent, la plupart nous ignorent, et aucun ne
nous aime. Nous avons, dans le monde des plantes,
des esclaves muettes et immobiles, mais elles nous
servent malgré elles. Elles subissent simplement
nos lois et notre joug. Ce sont des prisonnières
impuissantes, des victimes incapables de fuir mais
silencieusement rebelles, et sitôt que nous les perdons de vue elles s'empressent de nous trahir
et retournent à leur liberté sauvage et malfaisante
d'autrefois. S'ils avaient des ailes, la rose et le blé
fuiraient à notre approche comme fuient les oiseaux.
Parmi les animaux, nous comptons quelques
serviteurs qui ne se sont soumis que par indifférence, par lâcheté ou par stupidité : le cheval
incertain et poltron qui n'obéit qu'à la douleur
et ne s'attache à rien, l'âne passif et morne qui ne
reste près de nous que parce qu'il ne sait que faire
ni où aller, mais garde cependant, sous la trique
ou le bât, son idée de derrière les oreilles ; la
vache et le bœuf, heureux pourvu qu'ils mangent
et dociles parce que depuis des siècles ils n'ont plus

une pensée à eux ; le mouton ahuri qui n'a d'autre
maître que l'épouvante ; la poule fidèle à la basse-
cour parce qu'on y trouve plus de maïs et de froment que dans la forêt prochaine. Je ne parle pas
du chat pour qui nous ne sommes qu'une proie
trop grosse et immangeable, du chat féroce dont
l'oblique dédain ne nous tolère que comme des
parasites encombrants dans notre propre logis.
Lui, du moins, nous maudit dans son cœur mystérieux, mais tous les autres vivent près de nous
comme ils vivraient près d'un rocher ou près
d'un arbre. Ils ne nous aiment pas, ne nous connaissent pas, nous remarquent à peine. Ils ignorent
notre vie, notre mort, notre départ, notre retour,
notre tristesse, notre joie, notre sourire. Ils n'entendent même pas le son de notre voix dès qu'elle
ne menace plus, et quand ils nous regardent, c'est
avec l'effarement méfiant du cheval, dans l'œil
duquel passe encore l'affolement de l'élan ou de la
gazelle qui nous voit pour la première fois ; ou avec
la morne stupeur des ruminants qui ne nous consi-
dèrent que comme un accident momentané et
inutile de l'herbage.

Depuis des milliers d'années ils sont à nos côtés
aussi étrangers à nos pensées, à notre affection, à nos
mœurs que si la moins fraternelle des étoiles

les avait laissés choir d'hier sur notre globe. Dans l'espace sans bornes qui sépare l'homme de tous les autres êtres, nous n'avons réussi à leur faire faire, à force de patience, que deux ou trois pas illusoires. Et si demain, laissant intacts leurs sentiments à notre égard, la nature leur donnait l'intelligence et les armes nécessaires pour nous vaincre, j'avoue que je me méfierais de la vengeance emportée du cheval, des représailles obstinées de l'âne et de la rancune enragée du mouton. Je fuirais le chat comme je fuirais le tigre ; et même la bonne vache, solennelle et somnolente, ne m'inspirerait qu'une confiance sur ses gardes. Quant à la poule, l'œil rond et rapide, comme à la découverte d'une limace ou d'un ver, je suis sûr qu'elle me dévorerait sans se douter de rien.

Or, dans cette indifférence et cette incompréhension totale où demeure tout ce qui nous environne, dans ce monde incommunicable où tout a son but hermétiquement renfermé en lui-même, où toute destinée est circonscrite en soi, où il n'y a entre les êtres d'autres rapports que ceux de bourreaux à victimes, de mangeurs à mangés, où rien ne peut sortir de sa sphère étanche, où la mort seule établit de cruelles relations de cause à effet entre les vies voisines, où la plus légère

sympathie n'a jamais fait un saut conscient d'une
espèce à une autre, seul, parmi tout ce qui respire
sur cette terre, un animal est parvenu à rompre
le cercle fatidique, à s'évader de soi pour bondir
jusqu'à nous, à franchir définitivement l'énorme
zone de ténèbres, de glace et de silence qui isole
chaque catégorie d'existences dans le plan inintelligible de la nature. Cet animal, notre bon chien
familier, si simple et si peu étonnant que nous
paraisse aujourd'hui ce qu'il a fait, en se rappro-
chant aussi sensiblement d'un monde dans lequel
il n'était pas né et auquel il n'était pas destiné, a
cependant accompli l'un des actes les plus insolites
et les plus invraisemblables que nous puissions
trouver dans l'histoire générale de la vie. Quand
cette reconnaissance de l'homme par la bête,
quand ce passage extraordinaire de l'ombre à la
lumière s'est-il effectué ? Est-ce nous qui avons
cherché le caniche, le molosse ou le lévrier parmi
les loups ou les chacals, ou si c'est lui qui est venu
spontanément à nous ? Nous n'en savons rien.
Si loin que s'étendent les annales humaines, il est
à nos côtés comme à présent, mais que sont les
annales humaines au regard des temps sans témoignages ? Toujours est-il que le voilà dans nos
demeures aussi ancien, aussi bien à sa place,
aussi parfaitement adapté à nos mœurs que s'il
avait paru sur cette terre et tel qu'il est, en même
temps que nous. Nous n'avons pas à acquérir sa
confiance ni son amitié, il naît notre ami ; les

yeux encore fermés, il croit déjà en nous : dès avant sa naissance il s'est donné à l'homme. Mais le mot « ami » ne peint pas exactement son culte affectueux. Il nous aime et nous vénère comme si nous l'avions tiré du néant. Il est avant tout notre créature pleine de gratitude et plus dévouée que la prunelle de nos yeux. Il est notre esclave intime et passionné, que rien ne décourage, que rien ne rebute, en qui rien n'altère la foi ardente ni l'amour. Il a résolu d'une manière admirable et touchante le problème effrayant que la sagesse humaine aurait à résoudre si une race divine venait occuper notre globe. Il a loyalement, religieusement, irrévocablement reconnu la supériorité de l'homme et s'est livré à lui corps et âme, sans arrière-pensée, sans esprit de retour, ne réservant de son indépendance, de son instinct et de son caractère que la petite part indispensable pour continuer la vie prescrite par la nature à son espèce. Avec une certitude, une désinvolture et une simplicité qui nous surprennent un peu, nous jugeant meilleurs et plus puissants que tout ce qui existe, il trahit, à notre profit, tout le règne animal auquel il appartient, et renie sans scrupules sa race, ses proches, sa mère et même ses petits.

Il est certain que dans l'ensemble des créatures

intelligentes qui ont des droits, des devoirs, une mission et une destination, le chien est un animal vraiment privilégié. Il occupe dans ce monde une situation unique et enviable entre toutes. Il est le seul être vivant qui ait trouvé et reconnaisse un dieu indubitable, tangible, irrécusable et définitif. Il sait à quoi dévouer le meilleur de soi. Il sait à qui se donner au-dessus de lui-même. Il n'a pas à chercher une puissance parfaite, supérieure et infinie dans les ténèbres, les mensonges successifs, les hypothèses et les rêves. Elle est là, devant lui et il se meut dans sa lumière. Il connaît les devoirs suprêmes que nous ignorons tous. Il a une morale qui surpasse tout ce qu'il découvre en lui-même, et qu'il peut pratiquer sans scrupule et sans crainte. Il possède la vérité dans sa plénitude. Il a un idéal positif et certain.

Et c'est ainsi que l'autre jour, avant sa maladie, je voyais mon petit *Pelléas*, assis au pied de ma table de travail, la queue soigneusement repliée sous les pattes, la tête un peu penchée pour mieux m'interroger, à la fois attentif et tranquille, comme doit l'être un saint en présence de Dieu. Il était heureux du bonheur que nous ne connaîtrons peut-être jamais, puisque ce bonheur naissait du sourire et de l'approbation d'une vie incomparablement plus haute que la sienne. Il était là étudiant, buvant tous mes regards et y répondait gravement, comme d'égal à égal, pour m'apprendre sans doute que du moins par les yeux, l'organe presque immatériel qui transformait en intelligence affectueuse la lumière dont nous jouissions, il savait bien qu'il me disait tout ce que l'amour devait dire. Et le voyant ainsi, jeune, ardent et croyant, m'apportant, en quelque sorte, du fond de la nature infatigable, des nouvelles toutes fraîches de la vie, confiant, émerveillé comme s'il eût été le premier de sa race qui vînt inaugurer la terre et que l'on fût encore aux jours vierges du monde, j'enviais l'allégresse de sa certitude, et je me disais que le chien qui rencontre un bon maître est plus heureux que celui-ci dont la destinée plonge encore de toutes parts dans l'ombre.

FLEURS DÉMODÉES

Ce matin, en visitant mes fleurs entourées de la barrière blanche qui les défend contre les bonnes vaches qui paissent dans l'herbage, je revois en pensée tout ce qui s'épanouit dans les bois, dans les plaines, les jardins, les orangeries et les serres; et je songe à ce que nous devons au monde merveilleux que visitent les abeilles.

Savons-nous ce que serait une humanité qui ne connaîtrait pas la fleur ? Si celle-ci n'existait pas, si elle avait toujours été cachée à nos regards, comme le sont probablement mille spectacles non moins féeriques qui nous environnent mais que nos yeux n'atteignent point, notre caractère, notre morale, notre aptitude à la beauté, au bonheur, seraient-ils bien les mêmes ? Nous aurions, il est vrai, dans la nature, d'autres magnifiques témoignages de luxe, de surabondance et de grâce ; d'autres jeux éblouissants des forces infinies : le soleil, les étoiles, les clairs de lune, l'azur et l'océan, les aurores et les crépuscules, la montagne et la plaine, la forêt et les fleuves, la lumière et les arbres ; et enfin, plus près de nous, les oiseaux, les pierres précieuses et la femme. Ce sont là les ornements de notre planète. Mais, excepté les trois derniers qui appartiennent pour ainsi dire au même sourire de la nature, que l'éducation de notre œil serait grave, austère, presque triste, sans l'adoucissement qu'y apportent les fleurs ! Supposez un instant que notre globe les ignore : une grande région, la plus enchantée de notre psychologie heureuse, serait détruite, ou plutôt ne serait pas découverte. Toute une sensibilité délicieuse dormirait à jamais au fond de notre cœur plus dur et plus désert, et dans notre imagination privée d'images adorables. L'univers infini des couleurs et des nuances ne nous eût été incomplètement révélé que par quelques déchirures du ciel. Les harmonies miraculeuses de la lumière qui se délasse, qui invente sans cesse de nouvelles allégresses et semble jouir d'elle-même, nous seraient inconnues, car les fleurs ont d'abord décomposé le prisme et formé la partie la plus subtile de nos regards. Et le jardin magique des parfums, qui nous l'eût entr'ouvert ? Quelques herbes, quelques résines, quelques fruits, le souffle de l'aube, l'odeur de la nuit et de la mer, nous auraient annoncé que par de là les yeux et les oreilles existait un paradis fermé où l'air que l'on respire se change en voluptés qu'on n'aurait pu nommer. Considérez aussi tout ce qui manqueraient à la voix de la félicité humaine ! Une des cimes bénies de notre âme serait presque muette

si les fleurs, depuis des siècles, n'avaient alimenté
de leur beauté la langue que nous parlons et les
pensées qui tentent de fixer les heures les plus précieuses de la vie. Tout le vocabulaire, toutes les
impressions de l'amour sont imprégnés de leur
haleine, nourris de leur sourire. Quand nous
aimons, les souvenirs de toutes les fleurs que nous
avons vues et respirées, accourent peupler de leurs
délices reconnues la conscience d'un sentiment
dont le bonheur, sans elles, n'aurait pas plus de
forme que l'horizon de la mer ou du ciel. Elles
ont accumulé en nous, depuis notre enfance, et
dès avant celle-ci, dans l'âme de nos pères, un
immense trésor, le plus proche de nos joies, où nous
allons puiser, chaque fois que nous voulons
rendre plus sensibles les minutes clémentes de la
vie. Elles ont créé et répandu dans notre monde
sentimental l'atmosphère odorante où se complaît
l'amour.

C'est pourquoi j'aime surtout les plus simples,
les plus vulgaires, les plus anciennes et les plus
démodées ; celles qui ont derrière elles un long
passé humain, une longue suite de bonnes actions
consolantes, celles qui nous accompagnent depuis
des centaines d'années et qui font partie de nous-
mêmes, puisqu'elles mirent quelque chose de leur

grâce et de leur joie de vivre dans l'âme de nos aïeux.

Mais où se cachent-elles ? Elles deviennent plus rares que celles qu'on appelle aujourd'hui les fleurs rares. Leur existence est secrète et précaire. Il semble que l'on soit sur le point de les perdre, et peut-être en est-il qui viennent de disparaître enfin découragées, dont les graines sont mortes sous les ruines, qui ne connaîtront plus la rosée des jardins et qu'on ne retrouvera que dans de très vieux livres, parmi les gazons clairs des miniatures bleues ou le long des parterres jaunis des primitifs.

Elles sont chassées des plates-bandes et des corbeilles orgueilleuses par d'arrogantes inconnues arrivées du Pérou, du Cap, de la Chine, du Japon. Elles ont notamment deux impitoyables ennemis. C'est d'abord, l'encombrant et prolifique *Bégonia tubéreux* qui pullule dans les parterres comme un peuple de coqs intransigeants, aux crêtes innombrables. Il est joli, mais abusif et un peu artificiel ; et quels que soient le silence et le recueillement de l'heure, sous le soleil et sous la lune, dans l'ivresse du jour et la paix solennelle de la nuit, il sonne du clairon et célèbre une victoire monotone, criarde et sans parfums. Ensuite, c'est le *Géranium double*, un peu moins indiscret, infatigable aussi, extraordinairement courageux, et qui paraîtrait désirable s'il était moins prodigué. A eux deux, aidés de quelques étrangères plus sournoises et des

plantes aux feuillages colorés qui forment ces mo-
saïques boursouflées qui avilissent à présent les
belles lignes de la plupart de nos pelouses, ils ont
peu à peu dépossédé leurs sœurs autochtones des
lieux qu'elles avaient si longtemps égayés de leurs
sourires familiers. Elle n'ont plus le droit d'accueillir l'hôte avec de naïfs petits cris de bienvenue,
dès la grille dorée du château. Il leur est interdit
de bavarder près du perron, de gazouiller dans les
vases de marbre, de chantonner au bord des pièces
d'eau, de patoiser le long des plates-bandes. On
en a relégué quelques-unes au fond du potager,
dans le coin négligé, et d'ailleurs délicieux, des plantes médicinales ou simplement aromatiques ;
la Sauge, l'Estragon, le Fenouil et le Thym, vieilles servantes elles aussi congédiées et qu'on ne
nourrit plus que par une sorte de pitié ou de tradition machinale. D'autres se sont réfugiées du
côté des remises et des écuries, près de la porte
basse de la cuisine ou de la cave, s'y tassant
humblement comme des mendiantes importunes,
cachant leurs robes claires parmi les mauvaises
herbes, retenant de leur mieux leurs parfums inti-
midés, afin de ne pas éveiller l'attention.

Mais là même, le *Pélargonium* rouge d'indignation et le *Bégonia* cramoisi de colère sont venus
surprendre et bousculer la petite troupe inoffensive.
Elles ont fui vers les fermes, les cimetières, dans
les jardinets des curés, des vieilles filles, des couvents
de province ; et maintenant, ce n'est plus guère

que dans l'oubli des plus anciens villages, autour
des branlantes demeures, loin des chemins de fer
et des serres impérieuses de l'horticulteur, qu'on
les retrouve encore avec leur sourire naturel ;
non plus l'air pourchassé, haletant et traqué, mais
tranquilles, arrivées, reposées, abondantes, insou-
ciantes, chez elles. Et de même qu'autrefois,
au temps des diligences, du haut du mur de pierre
qui entoure la maison, à travers les barreaux de la
barrière blanche ou du seuil des fenêtres qu'anime
un oiseau prisonnier, sur la route immobile où personne ne passe, si ce n'est les puissances éternelles
de la vie, elles regardent venir le printemps et
l'automne, la pluie et le soleil, les papillons et les
abeilles, le silence et la nuit suivie du clair de lune.

Vieilles fleurs courageuses ! Giroflées, Rave-
nelles, Violiers, Boutons d'or ! Car, de même
que les fleurs des champs, dont un rien les sépare,
un rayon de beauté, une goutte de parfum, elles
ont des noms charmants, les plus doux de la langue ; et chacune d'elles, comme des ex-voto minutieux et naïfs, ou comme des médailles décernées
par la gratitude des hommes, en porte familiè-
rement trois ou quatre. Giroflées qui chantez parmi
les murs en ruine et couvrez de lumière les pierres
qui s'attristent. Primevères des jardins, Primerolles

ou Coucous, Jacinthes d'Orient, Crocus et Ciné-
raires, Couronnes impériales, Violettes odorantes,
Muguets, Myosotis, Petites-Marguerites et Petites-
Pervenches, Narcisses-des-Poètes, Jeannettes, Clau-
dinettes, Oreilles d'ours, Alysse, Gazon turc, Ané-
mones ; c'est par vous que les mois qui précèdent les
feuilles : Février, Mars, Avril, traduisent en sourires
compréhensibles aux hommes les premières nouvelles et les premiers baisers mystérieux du soleil.
Vous êtes frêles, frileuses et pourtant effrontées
comme une idée heureuse. Vous rajeunissez
l'herbe, fraîches comme l'eau qui coule dans les coupes d'azur que l'aube vient répandre sur les bour-
geons avides, éphémères comme les songes d'un
enfant qui s'éveille, presque sauvages encore
et presque spontanées, déjà marquées pourtant
de l'éclat trop précoce, du nimbe trop ardent, de la
grâce trop pensive qui accable les fleurs qui se
donnent à l'homme.

Mais voici innombrables, désordonnées, multi-
colores, tumultueuses, ivres d'aurores et de midis, les
rondes lumineuses des filles de l'été ! Jeunes vierges
aux voiles blancs et vieilles demoiselles en rubans
violets, écolières en vacances, premières commu-
niantes, religieuses pâlies, gamines dépeignées,
commères et bigotes. Voici le Souci d'or qui crible

de clarté le vert des plates-bandes. Voici la Camo-
mille, comme un bouquet de neige, à côté de ses
infatigables frères les Chrysanthèmes-des-jardins
qu'il ne faut pas confondre avec les Chrysan-
thèmes japonais de l'automne. L'Hélianthe annuel,
Tournesol, Grand-Soleil, dominant comme un
prêtre qui lève l'ostensoir, le menu peuple en
prière, s'efforce de ressembler à l'astre qu'il adore.
Le Pavot s'évertue à remplir de lumière sa tasse
déchirée par le vent du matin. Le rude Pied-d'A-
louette, en blouse de paysan, qui se croit plus beau
que le ciel, méprise les Belles-de-Jour qui lui repro-
chent avec aigreur d'avoir mis trop de bleu dans
l'azur de ses fleurs. La Julienne-de-Mahon, en robe de
jaconas, comme les petites bonnes de Dordrecht
ou de Leyde, naïvement espiègle, a l'air de laver
d'innocence les bordures des corbeilles. Le Réséda
se cache dans son laboratoire et distille en silence
des parfums qui nous donnent l'avant-goût de
l'air que l'on respire au seuil des paradis. Les
Pivoines, qui ont bu avec indiscrétion à même le
soleil, éclatent d'enthousiasme et se penchent
au-devant de l'apoplexie qui s'avance. Le Lin-à-fleurs-
rouges trace un sillon sanglant qui garde les allées ;
et le Portulaca ou Chevalier-d'onze-heures, cousin
enrichi du pourpier, rampant comme une mousse,
s'applique à recouvrir de taffetas zinzolin, jaune
soufre ou rose chair, la terre demeurée nue au pied
des hautes tiges. Le Dahlia joufflu, un peu rond, un
peu bête, taille dans le savon, le saindoux ou la

cire ses pompons réguliers qui seront l'ornement
de la fête du village. Le vieux Phlox paternel,
debout dans les massifs, prodigue les gros rires de
ses bonnes couleurs sans façon. Les Mauves-
fleuries ou Lavatères, en demoiselles sages, sentent
au moindre souffle le plus tendre incarnat des
pudeurs fugitives monter à leurs corolles. La Capu-
cine fait de l'aquarelle ou crie comme un ara qui
grimpe aux barreaux de sa cage ; et la Rose-Tré-
mière, Althéa Roséa, Passe-rose, Rose-à-bâton,
Alcée, ou Bâton-de-Jacob, montée sur ses six noms,
défripe ses cocardes d'une chair plus soyeuse que
les seins d'une vierge. La Balsamine presque transparente et la Gueule-de-Loup, plus gauches, plus
timides, serrent craintivement leurs fleurs contre
leurs tiges.

Puis, dans le coin discret des anciennes familles,
se pressent la Véronique-à-longues-feuilles, la Po-
tentille rouge, les Roses-d'Inde, l'antique Croix-de-
Malte, l'Herbe-à-la-veuve ou Scabieuse pourpre,
la Digitale qui s'élance comme une fusée triste,
l'Ancolie d'Europe, qu'on appelle encore Aiglan-
tine, Clochette ou Colombine ; la Coquelourde-rose-
du-ciel qui sur un long col grêle tend une petite
face ingénue et toute ronde pour admirer le firmament, la Lunaire cachottière qui fabrique en secret
la Monnaie du pape, ces pâles écus plats avec lesquels, sans doute, les elfes et les fées font au clair
de la lune commerce de prestiges ; enfin l'Œil-de-
Faisan, la Valériane rouge ou Barbe-de-Jupiter,

l'Œillet-de-Poète et le vieil Œillet des fleuristes que
cultivait déjà dans son exil le Grand-Condé.

A côté, au-dessus, tout autour, sur les murs,
dans les haies, parmi les treilles, le long des branches, comme un peuple de singes et d'oiseaux en
liesse, les plantes grimpantes se divertissent, font
de la gymnastique, jouent à se balancer, à perdre
l'équilibre et à le rattraper, à tomber, à voler, à
regarder le vide, à dépasser les cimes, à embrasser
le ciel. C'est le Haricot d'Espagne et le Pois-de-
Senteur, tout fiers de n'être plus mis au rang des
légumes, c'est le Volubilis pudique, le Chèvrefeuille
dont l'odeur représente l'âme de la rosée, la Clé-
matite, la Glycine ; tandis qu'aux fenêtres, entre
les rideaux blancs, le long des fils tendus, la Campanule nommée Pyramidale opère de tels miracles,
lance des gerbes et tresse des guirlandes formées de
mille fleurs unanimes si prodigieusement immaculées
et translucides, que ceux qui l'aperçoivent pour la
première fois, n'en croyant pas leurs yeux, veulent
toucher du doigt la bleuâtre merveille, fraîche
comme un jet d'eau, pure comme une source,
irréelle comme un songe.

Cependant, dans une touffe de rayons, le grand
Lys blanc, vieux seigneur des jardins, le seul prince
authentique parmi toute la roture sortie du potager, des fossés, des taillis, des mares et des landes,
parmi les étrangères venues on ne sait d'où, calice
invariable aux six pétales d'argent dont la noblesse
remonte à celle des dieux mêmes, le Lys immémorial

dresse son sceptre antique, inviolé, auguste,
qui crée autour de lui une zone de chasteté, de
silence, de lumière.

Est-il sur notre terre un ornement plus doux
des heures de loisir, que la culture des fleurs ? Il
est beau de voir ainsi rassemblée, pour le plaisir des
yeux, la magnifique foule qui élabore la lumière
pour en tirer des couleurs merveilleuses, du miel
et des parfums. On y trouve traduits en joies visibles
et fixées aux portes de sa maison, les délices éparses, fugitives et presque insaisissables de l'été, la
volupté de l'air, la clémence des nuits, l'émotion
des rayons, l'allégresse des heures, les confidences
de l'aurore, le murmure et les intentions de l'espace azuré. On ne jouit pas seulement de leur éclatante présence, on espère encore, probablement à
tort, tant ce mystère est confus et profond, on espère
encore, à force de les interroger, surprendre, grâce
à elles, je ne sais quelle loi ou quelle idée secrète
de la nature, je ne sais quelle pensée intime de
l'univers qui se trahit peut-être en ces moments
ardents où il s'efforce de plaire à d'autres êtres, de
séduire d'autres vies et de créer de la beauté...

Vieilles fleurs, ai-je dit. Je me trompais. Quand
on étudie leur histoire et qu'on recherche leur généa-

logie, on apprend avec surprise que la plupart, jusqu'aux plus simples et aux plus répandues, sont des êtres nouveaux, des affranchies, des exilées, des parvenues, des visiteuses, des étrangères. N'importe quel traité de botanique dévoilera leurs origines. La Tulipe, par exemple (rappelez-vous la Solitaire, l'Orientale, l'Agathe et le Drap d'or de La Bruyère), nous est venue de Constantinople au XVIᵉ siècle. La Renoncule, la Lunaire, la Croix-de-Malte, la Balsamine, le Fuchsia, la Rose-d'Inde ou Tagetes Erecta, la Coquelourde-des-Jardins ou Œillet de Dieu, l'Aconit bicolore, l'Amarante-queue-de-Renard, la Rose Trémière, la Campanule Pyramidale arrivent vers la même époque des Indes, du Mexique, de la Perse, de la Syrie, de l'Italie. La Pensée paraît en 1613, la Corbeille d'or en 1710, le Lin rouge en 1819, la Scabieuse pourpre en 1629, le Saxifrage sarmenteux en 1771, la Véronique à longues feuilles en 1731, le Phlox vivace est un peu plus ancien. L'Œillet de Chine fait son entrée dans nos jardins vers l'an 1713. L'Œillet vivace est d'aujourd'hui. Le Pourpier fleuri ne se montre qu'en 1828 et la Sauge écarlate en 1822. L'Eupatoire bleue ou Célestine, si abondante, si populaire, ne compte pas deux siècles. L'Immortelle-à-bractées moins encore. Le Zinnia est tout juste centenaire. Le Haricot d'Espagne, originaire de l'Amérique du Sud, et le Pois-de-Senteur, émigrant de Sicile, ont un peu plus de deux cents ans. L'Anthémis ou Marguerite en arbre, qu'on trouve dans les villages les plus ignorés, n'est cultivée que depuis l'année 1699. La jolie Lobélie bleue de nos bordures, c'est le Cap qui nous la donne vers l'époque de la Révolution. L'Aster de Chine ou Reine-Marguerite porte la date de 1731. Le Phlox annuel ou Phlox de Drummond, si vulgaire, nous est offert par le Texas en 1835. La Lavatère à grandes fleurs, qui a l'air si profondément indigène, si naïvement campagnard ne s'ouvre en nos jardins du Nord que depuis deux cent cinquante ans, et le Pétunia depuis une vingtaine de lustres. Le Réséda, l'Héliotrope, qui le croirait ? ne sont pas bi-centenaires, le Dahlia naît en 1802 et les Glaïeuls (*Gladiolus Gandavensis*), les Gloxinies sont d'hier.

Quelles fleurs fleurissaient donc aux jardins de nos pères ? Bien peu, sans doute, de très petites et de très humbles, qu'on distinguait à peine de celles des chemins, des prés et des clairières. Avez-vous remarqué la pauvreté et la monotonie, très habilement déguisées, de l'ornementation florale des plus belles miniatures dans nos vieux manuscrits ? De même, les tableaux de nos musées, jusqu'à la fin de la Renaissance, n'ont pour égayer les plus riches palais, les plus merveilleux paradis,

que cinq ou six types de fleurs, qu'ils répètent
sans cesse. Avant le XVIᵉ siècle, les jardins sont
presque déserts ; et plus tard, Versailles même,
le splendide Versailles, n'aurait pu nous montrer ce que montre aujourd'hui le plus pauvre
village. Seules, la Violette, la Pâquerette, le
Muguet, le Souci, le Pavot, frère du Coquelicot,
quelques Crocus, quelques Iris, quelques Col-
chiques, la Digitale, la Valériane, la Giroflée,
la Mauve, le Pied-d'Alouette, le Bluet, l'Œillet sauvage, le Myosotis, la Rose presque encore
Eglantine, et le grand Lys d'argent, ornements
spontanés de nos bois et de nos champs à l'imagination intimidée par la neige et le vent du
nord, venaient sourire à nos ancêtres. Ceux-ci,
du reste, ignoraient leur dénuement. L'homme
n'avait pas encore appris à regarder autour de
soi, à jouir de la vie naturelle. Puis, vinrent la
Renaissance, les grands voyages, la découverte
et l'envahissement du soleil. Toutes les fleurs
du monde, efforts heureux, beautés intimes et
profondes, pensées et volontés joyeuses de la
planète, montèrent jusqu'à nous, portées sur les
rayons d'une lumière qu'on attendait du firmament et qui sortait de notre propre terre. L'homme
se hasarde hors du cloître, de la crypte, de la
ville de briques et de pierre, du morne château
fort où il avait dormi. Il descend au jardin qui se
peuple d'abeilles, de pourpre et de parfums ;
il ouvre les yeux, s'étonne comme un enfant

échappé aux rêves de la nuit ; et la forêt, la plaine, la mer et les montagnes, et enfin les oiseaux et les fleurs qui parlent au nom de tous une langue plus humaine et qu'il comprend déjà, accueillent son réveil.

*
* *

Maintenant, il n'est peut-être plus de fleurs inconnues. Nous avons à peu près retrouvé toutes les formes que la nature prête au grand songe d'amour, au désir de beauté qui s'agite en son sein. Nous vivons, pour ainsi dire, au milieu de ses plus tendres confidences, de ses plus touchantes inventions. Nous prenons une part inespérée aux fêtes les plus mystérieuses de l'invisible force qui nous anime aussi. Sans doute, c'est en apparence peu de chose que quelques fleurs de plus dans nos corbeilles. Elles ne sèment que quelques sourires impuissants le long des routes qui conduisent à la mort. Il n'en est pas moins vrai que ce sont des sourires nouveaux que ne connurent point ceux qui nous précédèrent ; et généreusement, ce bonheur récemment découvert se répand en tous lieux, jusqu'aux portes des plus misérables demeures. Les bonnes, les simples fleurs sont aussi heureuses et aussi éclatantes dans l'étroit jardinet du pauvre qu'aux pelouses opulentes du château et entourent la cabane de la beauté suprême de la terre ; car la terre jusqu'ici n'a rien produit de plus beau que la fleur. Elles achèvent de conquérir le globe.. Elles promettent déjà, en prévision des jours où les hommes auront enfin des loisirs égaux et prolongés, l'égalité des saines jouissances. Oui, certes, c'est peu de chose ; et tout est peu de chose, si l'on considère isolément chacune de nos petites victoires. C'est peu de chose aussi, en apparence, que quelques pensées de plus dans notre tête, qu'un sentiment nouveau dans notre cœur ; et pourtant, c'est cela qui nous mène lentement où nous espérons d'arriver.

Après tout, nous tenons là un fait bien réel . à savoir que nous vivons dans un monde où les fleurs sont plus belles et plus nombreuses qu'autrefois ; et peut-être avons-nous le droit d'ajouter que les pensées des hommes y sont plus justes et plus avides de vérité. La moindre joie conquise et la moindre douleur abolie doivent être marquées au livre de l'humanité. Il convient de ne négliger aucune des preuves qui confirment que nous nous emparons des puissances anonymes, que nous commençons à manier quelques-unes des lois qui gouvernent les êtres, que nous nous acclimatons sur notre planète, que nous ornons notre séjour et que nous augmentons peu à peu la surface de bonheur et de beauté dans notre vie.

DE LA SINCÉRITÉ

Il n'y a, en amour, de bonheur durable et complet que dans l'atmosphère translucide de la sincérité parfaite. Jusqu'à cette sincérité, l'amour n'est qu'une épreuve. On vit dans l'attente, et les baisers et les paroles ne sont que provisoires. Mais cette sincérité n'est praticable qu'entre consciences hautes et exercées. Encore ne suffit-il pas que les consciences soient telles ; il faut, en outre, pour que la sincérité devienne naturelle et nécessaire, que ces consciences soient presque 'égales, de même étendue, de même qualité, et que l'amour qui les unit soit profond. Aussi la vie de la plupart des hommes s'écoule-t-elle sans qu'ils rencontrent l'âme avec qui ils auraient pu être sincères.

Mais il est impossible d'être sincère avec autrui avant qu'on ait appris à l'être envers soi-même. Cette sincérité n'est que la conscience et l'analyse, devenue presque instinctive, des mobiles de tous les mouvements de la vie. C'est l'expression de cette conscience que l'on peut mettre ensuite sous les yeux de l'être auprès duquel on cherche le bonheur de la sincérité.

Ainsi entendue, la sincérité n'a pas pour but la perfection morale. Elle mène ailleurs, plus haut si l'on veut ; en tout cas, dans des régions plus humaines et plus fécondes. La perfection d'un caractère, telle qu'on la comprend d'habitude, n'est trop souvent qu'une abstention stérile, une sorte d'ataraxie, une diminution de la vie instinctive, qui est en somme la source unique de toutes les autres vies que nous parvenons à organiser en nous. Cette perfection tend à supprimer les désirs trop ardents, l'ambition, l'orgueil, la vanité, l'égoïsme, l'appétit des jouissances, en un mot, toutes les passions humaines, c'est-à-dire tout ce qui constitue notre force vitale primitive, le fond même de notre énergie d'existence que rien ne peut remplacer. Si nous étouffons en nous toutes les manifestations de la vie, pour n'y substituer que la contemplation de leurs défaites, bientôt nous n'aurons plus rien à contempler.

Il n'importe donc pas de n'avoir plus de passions, de vices ou de défauts ; cela est impossible tant qu'on est homme au milieu des hommes, puisqu'on a le tort d'appeler passion, vice ou défaut ce qui fait le fond même de la nature humaine. Il importe de connaître dans leurs détail et leurs secrets ceux qu'on possède, et de les voir agir d'assez haut pour qu'on puisse les regarder sans crainte qu'ils ne nous renversent ou échappent à notre contrôle pour aller nuire inconsidérément à nous-mêmes ou à ceux qui nous entourent.

Dès que, de cette hauteur, on voit agir ses instincts, même les plus bas et les plus égoïstes, pour
peu qu'on ne soit pas volontairement méchant,
— et il est difficile de l'être quand l'intelligence a
acquis la lucidité et la force que suppose cette
faculté d'observation, — dès qu'on les voit agir ainsi,
ils deviennent inoffensifs comme des enfants sous
l'œil de leurs parents. On peut les perdre de vue,
oublier quelque temps de les surveiller, ils ne com-
mettront que des méfaits insignifiants ; car l'obli-
gation où ils seront de réparer le mal qu'ils auront
fait, les rend naturellement circonspects et leur
fait perdre tôt l'habitude de nuire.

Quand on aura atteint une sincérité suffisante
envers soi, il ne s'ensuit pas que l'on doive la livrer
au premier venu. L'homme le plus franc et le plus
loyal a le droit de cacher aux autres la plus grande
partie de ce qu'il pense et de ce qu'il éprouve. S'il
est incertain que la vérité que vous allez dire soit
comprise, taisez-la. Elle apparaîtrait dans les
autres toute différente de ce qu'elle est en vous ;
et prenant en eux l'aspect d'un mensonge, elle y
ferait le même mal qu'un mensonge véritable.
Quoi qu'en puissent dire les moralistes absolus,
dès qu'on n'est plus entre consciences égales,
toute vérité, pour produire l'effet de la vérité,

demande une mise au point. Jésus-Christ lui-
même était obligé de mettre au point la plupart
de celles qu'il révélait à ses disciples ; et s'il s'était
adressé à Platon ou à Sénèque au lieu de parler à
des pêcheurs de Galilée, il leur aurait probablement dit des choses assez différentes de celles qu'il
a dites.

Le règne de la sincérité ne commence que lorsque
cette mise au point n'est plus nécessaire. On entre
alors dans la région privilégiée de la confiance et
de l'amour. C'est une plage délicieuse où l'on se
retrouve nus, où l'on se baigne ensemble aux rayons
d'un soleil bienfaisant. Jusqu'à cette heure, on
avait vécu sur ses gardes comme un coupable. On
ne savait pas encore que tout homme a le droit
d'être tel qu'il est ; qu'il n'y a dans son esprit et
dans son cœur, pas plus que dans son corps, nulle
partie honteuse. On apprend bientôt, avec le sou-
lagement d'un criminel déclaré innocent, que
ces parties que l'on croyait devoir cacher sont
justement les plus profondes de la force vitale.
On n'est plus seul dans le mystère de sa conscience ; et les plus misérables secrets qu'on y
découvre, loin d'attrister comme naguère, font
aimer davantage la douce et ferme lumière que
deux mains unies y promènent.

Tout le mal, toutes les petitesses, toutes les
défaillances qu'on se dévoile ainsi, changent de
nature dès qu'ils sont dévoilés ; « et la plus grande
faute, comme le disait l'héroïne d'un drame, quand

ellé est avouée dans un baiser loyal, devient une vérité plus belle que l'innocence. » — Plus belle ? — Je ne sais ; mais plus jeune, plus vivante, plus visible, plus active et plus affectueuse.

Dans cet état, l'idée ne nous vient plus de cacher une arrière-pensée, un arrière-sentiment vulgaire ou méprisable. Ils ne peuvent plus nous faire rougir, puisqu'en les avouant nous les désavouons, nous les séparons de nous-mêmes, nous prouvons qu'ils ne nous appartiennent plus, qu'ils ne participent plus de notre vie, qu'ils ne naissent plus de la partie active, volontaire et personnelle de notre force ; mais de l'être primitif, informe et asservi qui nous donne un spectacle amusant comme tous les spectacles où l'on surprend le jeu des puissances instinctives de la nature. Un mouvement de haine, d'égoïsme, de vanité niaise, d'envie ou de déloyauté, examiné à la lumière de la sincérité parfaite, n'est plus qu'une fleur intéressante et singulière. Cette sincérité, comme le feu, purifie tout ce qu'elle embrasse. Elle stérilise les ferments dangereux ; et de la pire injustice, elle fait un objet de curiosité, inoffensif comme un poison mortel dans la vitrine d'un musée. Supposez Shylock capable de connaître et de confesser son avarice ; il ne serait plus avare, ou son avarice changerait de forme et cesserait d'être odieuse et nuisible.

Du reste, il n'est pas indispensable qu'on se corrige des fautes avouées ; car il y a des fautes nécessaires à notre existence et à notre caractère.

Beaucoup de nos défauts sont les racines mêmes
de nos qualités. Mais la connaissance et l'aveu de ces
fautes et de ces défauts précipitent chimiquement
le venin qui n'est plus au fond du cœur qu'un
sel inerte dont on peut étudier à loisir les cristaux
innocents.

La vertu purificatrice de l'aveu dépend de
la qualité de l'âme qui le fait et de celle de l'âme
qui l'accueille. L'équilibre établi, tous les aveux
élèvent le niveau du bonheur et de l'amour. Dès
qu'ils sont confessés, les mensonges anciens ou
récents, les défaillances les plus graves se changent en ornements inattendus, et, comme de belles
statues dans un parc, deviennent les témoins sou-
riants et les preuves paisibles de la clarté du jour.
Nous désirons tous d'arriver à cette sincérité bienheureuse ; mais nous craignons longtemps
que ceux qui nous aiment ne nous aiment moins
si nous leur révélons ce que nous osons à peine
nous révéler à nous-même. Il nous semble que
certains aveux défigureront à jamais l'image
qu'ils se faisaient de nous. S'il était vrai qu'ils la
défigurassent, ce serait la preuve que nous ne
sommes pas aimés sur le plan où nous aimons.
Si celui qui reçoit l'aveu ne peut s'élever jusqu'à
nous aimer davantage pour cet aveu, il y a malen-

tendu dans notre amour. Ce n'est pas celui qui
fait l'aveu qui doit rougir ; mais celui qui ne
comprend pas encore que par le fait même que
nous avons confessé un tort nous l'avons surmonté.
Ce n'est plus nous, c'est un étranger qui se trouve
à la place où nous avons commis la faute. Celle-ci,
nous l'avons éliminée de notre substance. Elle
n'entache plus que celui qui hésite à admettre
qu'elle ne nous entache plus. Elle n'a plus rien de
commun avec notre vie réelle. Nous n'en sommes
plus que le témoin accidentel et non plus responsable qu'une bonne terre n'est responsable d'une
mauvaise herbe ou un miroir du vilain reflet
qui l'effleure.

*
* *

Ne craignons pas davantage que cette sincérité
absolue, cette double vie transparente de deux
êtres qui s'aiment, détruise l'arrière-plan d'ombre
et de mystère qui se trouve au fond de toute affection durable, ni qu'elle tarisse le grand lac inconnu
qui, au sommet de tout amour, alimente le désir
de se connaître, désir qui n'est lui-même que
la forme la plus passionnée du désir de s'aimer
davantage. Non ; cet arrière-plan n'est qu'une
sorte de toile mobile et provisoire qui suffit à
donner aux amours ordinaires l'illusion de l'espace infini. Enlevez-la, et derrière elle appa-

raît enfin l'horizon réel avec le ciel et la mer véritables. Quant au grand lac inconnu, on s'aperçoit bientôt qu'on n'en avait tiré jusqu'à ce jour
que quelques gouttes d'eau trouble. Il n'ouvre
sur l'amour ses sources salutaires qu'au moment
de la sincérité ; car la vérité de deux êtres est
incomparablement plus féconde, plus profonde et
plus inépuisable que leurs apparences, leurs réti-
cences et leurs mensonges.

Enfin, ne craignons pas d'épuiser notre sincérité et ne nous imaginons point qu'il nous soit
possible d'atteindre ses dernières limites. Lorsque
nous la croyons et la voulons absolue, elle n'est
jamais que relative ; car elle ne peut se mani-
fester que dans les bornes de notre conscience,
et ces bornes se déplacent chaque jour. En sorte
que l'acte ou la pensée présentée sous les couleurs
que nous lui voyons au moment de l'aveu, peut
avoir une portée tout autre que celle que nous lui
attribuons aujourd'hui. De même que l'acte, la
pensée ou le sentiment que nous n'avouons pas
parce que nous ne l'apercevons pas encore, peut
devenir demain l'objet d'un aveu plus urgent
et plus grave que tous ceux que nous avions faits
jusqu'à ce jour.

PORTRAIT DE FEMME

... « Elle est belle, disait-il, de cette beauté
que les années altèrent le plus lentement. Elles
la transforment sans l'amoindrir et pour remplacer des grâces trop fragiles par des charmes qui
ne paraissent un peu plus graves et un peu moins
touchants que parce qu'on les sent plus durables.
Le corps promet qu'il gardera longtemps, jusqu'aux
premiers frissons de la vieillesse, les lignes pures
et souples qui ennoblissent le désir ; et l'on ne sait
pourquoi l'on est sûr qu'il tiendra sa promesse.
La chair, intelligente comme un regard, est sans
cesse rajeunie par l'esprit qui l'anime, et n'ose
prendre un pli, déplacer une fleur ni troubler une
courbe admirée par l'amour.

***

« Il ne suffisait pas qu'elle fût l'amie unique et
virile, la camarade égale, la compagne la plus

proche et la plus profonde de l'existence qu'elle avait liée à la sienne. L'étoile qui la souhaitait parfaite, et qu'elle avait appris à seconder, voulut encore qu'elle demeurât l'amante dont on ne se lasse point. L'amitié sans amour, comme l'amour sans amitié, sont deux demi-bonheurs qui attristent les hommes. Ils ne jouissent de l'un que pour regretter l'autre ; et ne trouvant qu'une allégresse mutilée sur les deux cimes les plus belles de la vie, ils se persuadent que l'âme humaine ne saurait être entièrement heureuse.

« Au sommet de sa vie veille la raison la plus pure qui puisse illuminer un être ; mais elle ne montre que la grâce et non l'effort de la lumière. Rien ne me paraissait plus froid que la raison, avant que je l'eusse vue jouer ainsi autour du front d'une jeune femme, comme la lampe du sanctuaire aux mains d'une enfant rieuse et innocente. La lampe ne laisse rien dans l'ombre ; mais la rigueur de ses rayons ne franchit pas le cercle intérieur, tandis que leurs sourires embellissent tout ce qu'ils atteignent au dehors.

« Sa conscience est si naturelle et si saine qu'on ne l'entend pas respirer et qu'elle semble ignorer qu'elle existe. Elle est inflexible envers l'activité qu'elle dirige ; mais avec tant d'aisance qu'elle

paraît s'arrêter pour se reposer ou se pencher
sur une fleur quand elle résiste de toutes ses forces
à une pensée ou à un sentiment injuste. Un geste,
un mot naïf et enjoué, une larme qui rit, dissi-
mule le secret de la lutte profonde. Tout ce qu'elle
acquiert a la grâce de l'instinct ; et tout ce qui est
instinctif a su devenir innocent. L'instinct, selon
le mot de Balzac « s'est trempé dans la pensée » ;
et la pensée couvre, d'une rosée plus claire, la sensibilité. De toutes les passions de la femme, aucune
n'a péri, aucune n'est prisonnière, car toutes sont
requises, les plus humbles et les plus futiles, comme
les plus grandes et les plus dangereuses, pour former le parfum que l'amour aime à respirer. Mais
sans être captives, elles vivent dans une sorte de
jardin enchanté d'où elles ne songent plus à s'évader, où elles perdent le désir de nuire, et où les
plus petites et les plus inutiles, ne pouvant rester inactives, amusent et font sourire les plus grandes. »

« Elle a donc, à l'état d'ornement, toutes les
passions et toutes les faiblesses de la femme ; et
grâce aux dieux, elle n'offre point cette perfection
mort-née qui possède toutes les vertus sans qu'un
seul défaut les anime. En quel monde imaginaire
trouve-t-on une vertu qui ne soit pas entée sur un

défaut ? Une vertu n'est qu'un vice qui s'élève au lieu de s'abaisser ; et une qualité n'est qu'un défaut qui sait se rendre utile.

« Comment aurait-elle l'énergie nécessaire si elle était dénuée d'ambition et d'orgueil ? Comment saurait-elle écarter les obstacles injustes si elle ne possédait pas la réserve d'égoïsme proportionnée aux légitimes exigences de la vie ? Comment serait-elle ardente et tendre si elle n'était pas sensuelle ? Comment serait-elle bonne si elle ne savait pas être faible, et confiante si elle ne savait pas être crédule ? Comment serait-elle belle si elle ignorait les miroirs et ne cherchait à plaire ? Comment sauverait-elle la grâce de la femme si elle n'en avait pas les innocentes vanités ? Comment serait-elle généreuse si elle n'était un peu imprévoyante ? Comment serait-elle juste si elle ne savait pas être dure ? et comment courageuse si elle n'oubliait parfois la prudence ? Comment serait-elle dévouée et capable de sacrifice si elle n'échappait jamais au contrôle de la raison glacée ?

« Ce que nous appelons vertus et vices, ce sont les mêmes forces qui passent le long d'une existence. Elles changent de nom selon le lieu où elles se rendent : à gauche, elles tombent dans les bas-fonds de la laideur, de l'égoïsme et de la sottise ; à droite, elles montent vers les hauts plateaux de la noblesse, de la générosité et de l'intelligence. Elles sont bonnes ou mauvaises selon ce qu'elles font et non selon le titre qu'elles portent. »

« Quand on nous peint les vertus d'un homme, on les représente dans l'effort de l'action ; mais celles qu'on admire dans la femme supposent toujours un modèle immobile comme une belle statue dans une galerie de marbre. C'est une image inconsistante, tissée de vices au repos, de qualités inertes, d'épithètes endormies, de mouvements passifs, de forces négatives. Elle est chaste parce qu'elle n'a pas de sens, elle est bonne parce qu'elle ne fait de mal à personne, elle est juste parce qu'elle n'agit point, elle est patiente et résignée parce qu'elle est dépourvue d'énergie, elle est indulgente parce qu'on ne l'offense point, ou pardonne parce qu'elle n'a pas le courage de résister, elle est charitable parce qu'elle se laisse dépouiller ou que sa charité ne la prive de rien, elle est fidèle, elle est loyale, elle est soumise, elle est dévouée, parce que toutes ces vertus peuvent vivre dans le vide et fleurir sur une morte. Mais qu'arrivera-t-il si l'image s'anime et sort de sa retraite pour entrer dans une vie où tout ce qui ne prend point part au mouvement qui l'enveloppe devient une épave pitoyable ou dangereuse ? Est-ce encore une vertu que de rester fidèle à un amour mal choisi ou moralement éteint, ou de demeurer soumise à un maître inintelligent ou injuste ? Suffit-il de ne pas nuire pour être bonne ou de ne pas mentir pour que l'on soit loyale ? Il y a la morale de ceux qui se tiennent sur les rives du grand fleuve ; et la morale de ceux qui remontent le flot. Il y a la morale du

sommeil et celle de l'action, la morale de l'ombre
et celle de la clarté ; et les vertus de la première,
qui sont comme des vertus en creux, doivent s'élever, se tendre et devenir des vertus en relief pour
subsister dans la seconde. La matière et les lignes
demeurent peut-être identiques, mais les valeurs
sont exactement renversées. La patience, la mansuétude, la soumission, la confiance, la renoncia-
tion, la résignation, le dévouement, le sacrifice,
fruits de la bonté passive, si on les porte tels quels
dans l'âpre vie du dehors, ne sont plus que de la
faiblesse, de la servilité, de l'insouciance, de l'inconscience, de l'indolence, de l'abandon, de la
sottise ou de la lâcheté, et doivent, pour maintenir au niveau nécessaire la source de bonté d'où elles
émanent, savoir se transformer en énergie, en fer-
meté, en obstination, en prudence, en résistance,
en indignation ou en révolte. La loyauté qui n'a
guère à craindre tant qu'elle ne bouge pas, doit se
garder d'être dupe et de livrer des armes à l'ennemi.
La chasteté qui attendait les yeux fermés et les
mains jointes, a le droit de se changer en passion
qui saura décider et fixer le destin. Et ainsi de suite
de toutes les vertus qui ont un nom comme de celles
qui n'en possèdent pas encore. Après quoi, c'est un
problème de savoir laquelle est préférable, de la
vie active ou de la passive, de celle qui se mêle aux
hommes et aux événements ou de celle qui les fuit.
Existe-t-il une loi morale qui impose l'une ou l'autre, ou bien chacun a-t-il le droit de faire son choix

selon ses goûts, son caractère, ses aptitudes ? Est-il
meilleur ou pire que les vertus actives ou les pas-
sives se trouvent au premier plan ? On peut, je
crois, affirmer que les premières supposent toujours les secondes, mais que le contraire n'est pas
vrai. Ainsi, la femme dont je parle est d'autant
plus capable de dévouement et de sacrifice qu'elle a
la force de détourner plus longtemps que toute
autre l'accablante nécessité de ceux-ci. Elle ne cul-
tivera pas dans le vide, comme moyens d'expia-
tion ou de purification, la tristesse et la souffrance ;
mais elle sait les accueillir et les rechercher avec une
naïve ardeur, pour épargner à ceux qu'elle aime,
une petite affliction ou une grande douleur qu'elle
se sent la force d'affronter seule et de vaincre en
silence dans le secret de son cœur. Que de fois je
l'ai vue refouler des larmes près de jaillir sous d'injustes reproches, tandis que ses lèvres où palpitait un
sourire angoissé, retenaient, avec un courage
presque invisible, le mot qui l'eût justifiée, mais
aurait accablé celui qui la méconnaissait. Comme
Jean-Paul dit de son héroïne, « elle est de celles
qui, lorsqu'on est injuste envers elles, croient toujours que c'est elles qui ont tort ». Car, de même
que tous les êtres justes et bons, elle avait naturellement à subir les petites tyrannies et les petites
méchancetés de ceux qui flottent indécis entre le
bien et le mal et se hâtent d'abuser de l'indulgence
et du pardon trop souvent obtenus. Voilà qui
montre mieux que tous les consentements inertes

et éplorés, une ardente et puissante réserve d'amour. »

« Iphigénie, Antigone ou sœur de charité, comme toute femme, s'il le faut, elle ne demandera pas au destin de la blesser à mort, comme pour être à même de peser enfin dans la dernière lutte les forces peut-être merveilleuses d'un cœur inexploré. Elle a appris à connaître leur nombre et leur poids dans la paix et dans la certitude de sa conscience. A moins d'une de ces épreuves où la vie nous accule aux impitoyables parois d'une fatalité ou d'une loi naturelle sans issue, elle prendra d'instinct une autre route pour arriver au but marqué par le devoir. En tout cas, son dévouement et son sacrifice ne seront jamais résignés ; ils ne s'abandonneront jamais à la douceur perfide du malheur. Toujours aux aguets, sur la défensive et pleine d'une confiance énergique, elle cherchera jusqu'au dernier moment le point faible de l'événement qui l'écrase. Ses larmes seront aussi pures, aussi douces que les larmes de celles qui ne résistent pas aux injures du hasard; mais au lieu de voiler le regard elles y appelleront et y multiplieront la lumière qui console ou qui sauve.

VUE DE ROME

Rome est probablement le lieu du monde où s'est accumulé durant vingt siècles et où subsiste encore le plus de beauté.

Elle n'a rien créé, si ce n'est un certain esprit de grandeur et d'ordonnance des belles choses; mais les plus magnifiques moments de la terre s'y sont prolongés et fixés avec une telle énergie qu'elle est le point de globe où ils ont laissé les plus nombreuses, les plus impérissables traces. Quand on foule son sol, on foule l'empreinte mutilée de la déesse qui ne se montre plus aux hommes.

La nature l'avait admirablement située à l'endroit le plus propre à recueillir, comme dans la plus noble coupe qui se soit ouverte sous le ciel, les joyaux des peuples qui passaient autour d'elle sur les cimes de l'histoire. Le lieu où tombaient ces merveilles était déjà l'égal de ces merveilles mêmes. L'azur y est limpide et somptueux. Les obscures et profondes verdures du nord s'y marient encore aux feuillages légers et plus clairs du midi. Les arbres les plus purs, le cyprès qui s'élance tel qu'une prière ardente et sombre, le large pin parasol, qui semble la pensée la plus grave et la plus harmonieuse de la forêt, le massif chêne-vert qui prend si aisément la grâce des portiques, y ont acquis, par une tradition séculaire, une fierté, une conscience et une solennité qu'ils ne retrouvent nulle autre part. Qui les a vus et compris, ne les oubliera plus et les reconnaîtrait sans peine entre les arbres analogues d'une terre moins sacrée. Ils furent les ornements et les témoins d'incomparables choses. Ils demeurent inséparables des aqueducs épars, des mausolées découronnés, des arches brisées, des colonnes héroïquement rompues qui décorent une campagne majestueuse et désolée. Ils ont pris le style des marbres éternels qu'ils environnent de silence et de respect. Comme ceux-ci ils savent nous dire, à l'aide de deux ou trois lignes nettes et pourtant mystérieuses, tout ce que peut nous confesser la tristesse d'une plaine qui porte sans fléchir les débris de sa gloire. Ils sont et se sentent romains.

Un cercle de montagnes aux noms sonores et augustement familiers, aux têtes souvent chargées de neiges aussi éclatantes que les souvenirs qu'elles évoquent, fait à la ville qui ne peut point mourir, un horizon précis et grandiose qui la sépare du monde sans l'isoler des cieux. Et dans l'enceinte presque déserte, au centre des places inanimées où les dalles, les marches, les portiques multiplient l'espace et l'absence, à tous les carrefours où veille dans le vide quelque statue blessée, parmi les vas-

ques, les chapiteaux, les tritons et les nymphes,
une eau docile et lumineuse, obéissant encore à des
ordres reçus il y a deux mille ans, fait à la solitude
immaculée, un ornement mobile et toujours
rafraîchi, de panaches d'azur, de guirlandes de
rosée, de trophées de cristal, de couronnes de perles.
On dirait que le Temps, entre ces monuments
qui croyaient le braver, n'a voulu respecter que les
heures fragiles de ce qui s'évapore et de ce qui s'é-
coule...

La beauté, bien que ce fût toujours une beauté
empruntée, a résidé si longtemps entre ces murs
qui vont du Janicule à l'Esquilin, elle s'y est amon-
celée avec une telle persistance, que le lieu même,
l'air qu'on y respire, le ciel qui le recouvre, les courbes
qui le définissent, y ont acquis une prodigieuse
puissance d'appropriation et d'ennoblissement.
Rome, comme un bûcher, purifie tout ce que, depuis
sa ruine, les erreurs, les caprices, l'extravagance
et l'ignorance des hommes n'ont cessé d'y entasser.
Il a été jusqu'ici impossible de la défigurer. On croirait même qu'il a été impossible d'y exécuter ou d'y
maintenir une œuvre qui refusât d'y dépouiller sa
laideur ou sa vulgarité originelle. Tout ce qui n'est
pas conforme au style des sept collines, s'efface et
s'élimine peu à peu sous l'action du génie attentif

qui a posé aux horizons, dans le roc et le marbre
des hauteurs, les principes esthétiques de la cité. Le
moyen âge, par exemple, et l'art des primitifs y
durent être plus actifs qu'en toute autre ville, puisqu'ils se trouvaient ici au cœur même de l'univers
chrétien ; pourtant ils n'y ont laissé que des traces
peu sensibles, pour ainsi dire honteuses et souter-
raines : ce qu'il fallait et rien de plus, pour que
l'histoire du monde, dont c'était le foyer, n'y fût
pas incomplète. Par contre, les artistes dont l'esprit
était naturellement en harmonie avec celui qui pré-
side aux destinées de la ville éternelle : Jules
Romain, les Carraches, quelques autres, mais surtout Raphaël et Michel-Ange, y manifestent une
ampleur, une certitude, une espèce de satisfaction
instinctive et d'allégresse filiale qu'ils ne retrouvent
en aucun autre lieu. On sent qu'ils n'avaient pas à
créer, mais seulement à choisir et à fixer les formes
qui, affluant de toutes parts irrévélées, mais impérieuses, ne demandaient qu'à naître. Ils ne pouvaient
se tromper ; ils ne peignaient pas, au sens propre du
mot ; ils découvraient simplement les images voilées
qui hantaient les salles et les arcades des palais. Les
rapports entre leur art et le milieu qui lui donne
naissance sont si nécessaires, qu'exilées dans les
musées ou les églises d'autres villes, leurs œuvres ne
semblent traduire qu'une conception arbitraire,
exagérément forte et décorative de la vie. C'est
ainsi que les photographies ou les copies du plafond
de la chapelle Sixtine déconcertent et demeurent

presque inexplicables. Mais, entré au Vatican, après
s'être imprégné de la volonté qui émane des mille
débris des temples et des places publiques, le voyageur accepte comme un effort sublime et naturel,
l'effort démesuré de Michel-Ange. La prodigieuse
voûte où, dans une harmonieuse et grave orgie de
muscles et d'enthousiasmes, s'enlace et s'accumule
un peuple de géants, devient une arche du ciel
même où se sont reflétées toutes les scènes d'énergie,
toutes les vertus ardentes, dont les souvenirs s'agitent encore sous les ruines de ce sol passionné. De
même, en face de « L'Incendie du Borgo », il ne se
dit pas ce qu'il se dirait s'il voyait l'admirable fresque au Louvre ou au National Gallery ; il ne se dit
pas ce que se dit par exemple Taine : à savoir que
ces grands corps nus et superbes ne sont pas à leur
affaire, que les flammes qui sortent de l'édifice ne les
inquiètent nullement, qu'ils ne songent qu'à poser
comme de bons modèles et à mettre en valeur la courbe
d'une hanche ou la musculature d'une cuisse. Non,
si le visiteur s'est laissé docilement pénétrer par les
injonctions de tout ce qui l'entoure, il s'imagine
volontiers que dans ces chambres du Vatican, aussi
bien que sous la voûte de la Sixtine, et quelque différentes que soient les deux impressions, il assiste à
l'épanouissement tardif, mais logique et normal d'un
art qui aurait pu être celui de Rome. Il lui semble
que l'on trouve ici la formule que le génie trop positif des Quirites n'avait pas eu l'occasion ou la chance
de dégager. Car Rome, malgré tous ses efforts,

n'avait pas réussi à donner d'elle-même l'image essen-
tielle qu'elle avait promise à l'univers. Au fond, elle
n'était belle que des dépouilles de la Grèce ; et le
meilleur de ses mérites, ç'avait été de recueillir et
de comprendre avidement la beauté de l'art grec.
Quand elle avait tenté d'y ajouter, elle l'avait
déformé sans en approprier l'expression à sa vie
personnelle. Ses peintures et ses sculptures ne
répondaient que par des sortes d'à peu près et
d'ouï-dire aux réalités de son existence ; et son architecture devait à ses proportions colossales la part la
plus sûre d'une originalité incertaine. On se laisse
aller à ce songe que l'harmonieux peintre d'Urbin
et le vieux Buonarroti, à travers toutes les catastrophes, à travers toutes les morts apparentes et les
longs silences de Rome, ont ressaisi une tradition
latente et ininterrompue qui n'avait cessé d'évoluer
souterrainement pour aboutir à leur œuvre, et dire
enfin au monde ce que l'Empire n'avait pas su lui
dire. Ils sont plus proprement Romains, ils représentent mieux, semble-t-il, le désir inconscient et
secret de cette terre latine que ne le fit la Rome des
Césars. Cette Rome avait manqué son effigie. Elle
était demeurée artificiellement hellénique ; et la
Grèce ne pouvait fournir à un peuple infiniment plus
vaste et très différent, les formes nécessaires à sa
conscience ornementale. Elle ne pouvait être qu'un
point de départ sûr et magnifique ; mais ses statues
et ses peintures, délicates, précises, mesurées,
presque menues, n'étaient pas à leur place dans

ce Forum surchargé de monuments écrasants, parmi
ces thermes monstrueux, ces cirques violents et
sous les énormes et fastueuses arcades de ces basi-
liques superposées. On se demande alors si les
fresques de Michel-Ange n'auraient pas répondu,
après mille ans d'attente, à l'appel de ces arcades
vides ; et si l'on ne peut croire qu'elles soient la
conséquence presque organique de ces colonnes et de
ces marbres impériaux ? Et de même, on se dit que
le plafond, les pendentifs, les lunettes de la Farné-
sine et l'*Incendie du Borgo*, illustreraient bien
mieux que les sculptures de Phidias et de Praxitèle,
bien mieux aussi que les meilleures peintures de
Pompéi ou d'Herculanum, les *Métamorphoses*
d'Ovide, les *Décades* de Tite-Live, les poèmes d'Ho-
race et l'*Enéide* de Virgile.

***

Mais tout cela n'est peut-être qu'illusion et
le prestige de cette puissance d'appropriation
dont nous parlions plus haut. Cette puissance est
telle que tout ce qui paraît, au premier abord, le plus
contradictoire à l'idée qui règne dans ces murs, non
seulement ne la contredit point, mais contribue à
la fixer et à la révéler. Il n'est pas jusqu'au déclama-
toire, innombrable et emphatique Bernin, — aussi
inconciliable qu'il est possible de l'être avec la taci-

6

turnité et la gravité primitive de Rome, — il n'est
pas jusqu'à ce Bernin, si odieux partout ailleurs, qui
ici ne soit absorbé ou justifié par le génie de la cité
et n'aide à éclaircir et à commenter, après coup,
certains côtés un peu oratoires et redondants de la
grandeur romaine.

Au surplus, une ville qui possède les Vénus du
Capitole et du Vatican, l'Ariane endormie, le Méléa-
gre et le torse d'Hercule, les merveilles sans nombre de musées aussi nombreux que ses palais (pensez, par exemple, à ce que renferme un seul de ces
musées, l'un des derniers venus, celui des Thermes) ;
une ville dont chaque rue, presque chaque maison
recèle un fragment de marbre ou de bronze qui suffirait à faire d'une cité nouvelle le but d'un long pèle-
rinage ; une ville qui nous montre le Panthéon
d'Agrippa, certaines colonnes du Forum, tant de
trésors enfin où la mémoire découragée se refuse
à suivre plus longtemps l'admiration qui ne se lasse
point ; une ville qui nous offre parmi ses féeries
ordonnées et vivantes, telle pelouse entourée de cyprès
de la villa Borghèse, telles fontaines, tels jardins
éternels; une ville, en un mot, où s'est réfugié tout le
meilleur passé du seul peuple qui cultiva la beauté
comme d'autres cultivent le blé, l'olivier ou la vigne :
une pareille ville oppose à la vulgarité une résistance, passive si l'on veut, mais invincible ; et
peut presque tout tolérer sans déchoir. L'immortelle
présence d'une assemblée de dieux si parfaits qu'aucune mutilation n'a pu altérer l'eurythmie de

leur corps et de leur attitude, la protège contre ses
propres erreurs et empêche que les derniers venus
parmi les hommes aient plus d'empire sur elle
que les barbares et le temps n'en eurent sur ces
dieux mêmes (1).

*
* *

Et par eux, nous voici ramenés à ces petites
villes de l'Hellade qui découvrirent un jour et
fixèrent à jamais les lois de la beauté humaine.
La beauté de la terre, à part quelques endroits ravagés par nos mesquines industries, est demeurée sensiblement la même depuis les siècles de Périclès
et d'Auguste. La mer est toujours inviolable et
infinie. La forêt, la plaine, les moissons, les villages,

---

(1) Néanmoins, la tolérance de Rome a des limites. S'il n'y
a pas sur terre d'endroit où s'acclimatent et s'adaptent plus
promptement les œuvres les plus diverses, il n'en est pas, en
revanche, qui rejette plus violemment et plus irrévocablement
tout ce qu'il est absolument impossible de purifier. A ce point
de vue, le jugement du génie de la cité part de certitudes
uniques et définitives. Une statue, un monument qu'il ne condamne pas avec colère, contre lequel ses pierres, ses places,
ses carrefours ne se soulèvent pas avec indignation, est assuré
du pardon de la postérité. Jusqu'ici ce génie, quoique plus
d'une fois maltraité, a cependant fini par avoir raison de tous
les attentats. Mais aujourd'hui, on se demande avec quelque
inquiétude comment il s'accommodera du hideux palais de
justice qu'on élève à côté du château Saint-Ange ; ce qu'il
imaginera pour faire oublier ou rendre inoffensives certaines
statues du Pincio et divers monuments patriotiques qui l'assaillent sur plus d'un point de son territoire.

la plupart des rivières et des ruisseaux, les montagnes, les soirs et les matins, les nuages et les astres,
variables selon les climats et les latitudes, nous
apportent encore les spectacles de force ou de grâce,
les harmonies profondes et simples, les féeries com-
pliquées et diverses qu'ils offraient aux citoyens
d'Athènes et au peuple de Rome. En ce qui concerne la Nature, nous n'avons donc à regretter
qu'assez peu de chose ; et nous avons même étendu
considérablement, de ce côté, la sensibilité et la
surface de nos admirations. En revanche, pour
tout ce qui a trait à la beauté particulière à l'homme,
à la beauté qui est son œuvre immédiate, nous avons,
soit par excès de richesse et d'application, soit par
éparpillement de nos efforts et dispersion de nos
facultés, soit enfin par manque d'un point d'appui
incontesté, perdu presque tout ce que les anciens
avaient su conquérir et fixer. Dès qu'il s'agit de
notre esthétique purement humaine, de notre propre
corps et de tout ce qui s'y rapporte, de nos gestes,
de notre attitude, des objets de notre vie, de nos
maisons, de nos villes, de nos monuments, de nos
jardins, on croirait, à voir notre désarroi, nos tâtonnements et notre inexpérience, que c'est d'hier que
nous occupons cette planète, et que nous sommes
encore tout au début de la période d'adaptation.
Nous n'avons plus, pour l'œuvre de nos mains,
aucune mesure commune, aucune règle acceptée,
aucune certitude. Cette beauté sûre et incontesta-
ble, que connurent les anciens, nos peintres, nos

sculpteurs, nos architectes, notre littérature, nos vêtements, nos meubles, nos villes, nos paysages même, la recherchent dans mille directions diverses et opposées. Si l'un de nous crée, réunit ou rencontre quelques lignes, une harmonie de forme ou de couleur qui révèle irrécusablement que le point décisif et mystérieux fut touché : c'est un phénomène isolé et précaire, presque un coup de hasard, que son auteur ni personne autre n'est capable de réitérer.

Pourtant, durant quelques années heureuses, l'homme sut à quoi s'en tenir sur la beauté essentiellement et spécifiquement humaine ; et ses certitudes étaient telles qu'elles emportent encore aujourd'hui notre conviction. Le seul étalon fixe que les Egyptiens, les Assyriens, les Perses, et toutes les civilisations antérieures, avaient vainement cherché parmi les animaux, les fleurs, les colosses de la nature et les rêves de l'imagination : montagnes et rochers, cavernes et forêts, monstres et chimères, le Grec l'avait trouvé d'instinct dans la beauté de son propre corps ; et c'est de la beauté de ce corps nu et parfait que dérive l'architecture de ses palais et de ses temples, le style de ses demeures, la forme, les proportions et l'ornement de tous les objets usuels de sa vie. Ce peuple chez qui la nudité et sa conséquence naturelle : l'irréprochable harmonie des muscles et des membres, était pour ainsi dire un devoir religieux et civique, nous a appris que la beauté du corps humain est aussi diverse, dans sa

perfection, aussi profonde, aussi abondante, aussi
spirituelle, aussi mystérieuse que la beauté des astres
ou de la mer. Tout autre idéal, tout autre étalon
égara et égarera nécessairement les efforts et les ten-
tatives de l'homme. Toutes autres beautés sont possibles, réelles, profondes, diverses, complètes, mais
ne partent pas de notre point central : ce sont des
roues sans moyeu. Dans tous les arts, les peuples
de race intelligente se sont éloignés ou rapprochés
de la beauté indubitable, selon qu'ils se rappro-
chaient ou s'éloignaient de l'habitude d'être nus.
La beauté propre de Rome, c'est-à-dire la petite
portion de beauté originale qu'elle ajouta aux
dépouilles de la Grèce, est due aux derniers restes
de cette habitude. A Rome, comme nous le fait
remarquer Taine, « on s'assemblait aussi pour
nager, se frotter, transpirer, même lutter et courir,
en tout cas pour regarder des lutteurs et des cou-
reurs. Car Rome à cet égard n'est qu'une Athènes
agrandie: le même genre de vie, les mêmes habitudes,
les mêmes instincts, les mêmes plaisirs s'y perpétuent ;
la seule différence est dans îa proportion et dans le
moment. La cité s'est enflée jusqu'à renfermer des
maîtres par centaines de mille et des esclaves par
millions ; mais, de Xénophon à Marc-Aurèle, l'éducation gymnastique et oratoire n'a point changé :
ils ont toujours des goûts d'athlètes et de parleurs,
c'est dans ce sens qu'il faut travailler pour leur
plaire ; c'est à des corps nus, à des dilettantes de
style, à des amateurs de décoration et de conversa-

tion, qu'on s'adresse. Nous n'avons plus l'idée de
cette vie corporelle et païenne, oisive et spéculative :
le climat est demeuré le même, mais l'homme s'est
transformé en s'habillant et en devenant chrétien. »

Il faudrait plutôt dire que Rome, à l'époque dont
parle Taine, était une Athènes intermittente et
incomplète. Ce qui, là-bas, était habituel et en quelque sorte organique, ici, n'était qu'exceptionnel et
artificiel. Le corps humain est encore cultivé et
admiré ; mais il est presque toujours revêtu de la
toge, et le port de la toge brouille les lignes nettes et
pures qui partaient d'une foule de statues nues et
vivantes pour s'imposer aux colonnes et aux fron-
tons des temples. Les monuments s'agrandissent
outre mesure, se déforment et perdent peu à peu
leur harmonie humaine. L'étalon d'or est voilé pour
longtemps, et ne sera plus découvert que par quelques artistes de la Renaissance, qui est le moment
où la beauté certaine jette ses derniers feux.

LA COLÈRE DES ABEILLES

On m'a demandé bien souvent, depuis *la Vie des Abeilles*, d'éclaircir l'un des mystères les plus redoutés de la ruche : à savoir la psychologie de ses irrésistibles, de ses inexplicables, soudaines et parfois mortelles colères. Il flotte en effet, autour de la demeure des blondes fées du miel, une foule de cruelles et injustes légendes. Arrivés près de l'enclos fleuri de réséda ou de mélilot où bourdonnent les filles de lumière, les plus braves des hôtes qui visitent le jardin, ralentissent le pas et se taisent malgré eux. Les mères affolées en écartent leurs enfants comme elles les écarteraient de quelque feu latent ou d'un nid de vipères ; et l'éleveur novice, ganté de cuir, voilé de gaze, entouré de torrents de fumée, n'affronte l'énigmatique citadelle qu'avec le petit frisson inavoué qui précède les grandes batailles.

Qu'y a-t-il de raisonnable au fond de ces craintes traditionnelles ? L'abeille est-elle vaiment dangereuse ? Se laisse-t-elle apprivoiser ? Y a-t-il péril à s'approcher des ruches ? Faut-il fuir ou braver leur

colère ? L'apiculteur a-t-il quelque secret ou quelque
talisman qui le préserve des piqûres ? Voilà les
questions que vous posent anxieusement tous ceux
qui viennent d'installer un timide rucher et qui commencent leur apprentissage.

L'abeille, en général, n'est ni malveillante, ni
agressive ; mais paraît assez capricieuse. Elle a
contre certaines gens des antipathies invincibles ;
elle a aussi des jours d'énervement, — par exemple
à l'approche d'un orage, — où elle se montre extrêmement irritable. Elle a l'odorat très subtil et très
susceptible, elle ne tolère aucun parfum et abomine
par-dessus tout l'odeur de la sueur humaine et de
l'alcool. Elle ne s'apprivoise pas, au sens propre du
mot, mais tandis que les ruches qu'on ne visite
jamais deviennent hargneuses et méfiantes, celles
qu'on entoure de soins quotidiens s'accoutument aisément à la présence discrète et prudente de l'homme.
Enfin, il existe, pour manier presque impunément
les abeilles, un certain nombre de petits expédients,
variables selon les circonstances, que la pratique
seule peut enseigner. Mais il est temps de révéler le
grand secret de leurs colères.

L'abeille, au fond si pacifique, si longanime, qui ne
pique jamais (à moins qu'on ne l'écrase) quand elle

butine parmi les fleurs, une fois rentrée chez elle,
dans son royaume aux monuments de cire, garde ce
caractère bénin et tolérant, ou devient violente et
mortellement dangereuse, selon que sa ville mater-
nelle est opulente ou pauvre. Ici encore, comme il
arrive souvent quand on étudie les mœurs de ce
petit peuple ardent et mystérieux, les prévisions de la
logique humaine sont entièrement déroutées. Il
serait naturel que les abeilles défendissent avec
acharnement une cité débordante de trésors si péni-
blement amassés, une cité comme on en rencontre
dans les bons ruchers, où le nectar, ne trouvant plus
place dans les alvéoles sans nombre qui représentent des milliers de barriques empilées, des caves aux
greniers, ruisselle en stalactites d'or le long des murailles bruissantes et envoie au loin dans la campagne, comme une réponse heureuse aux parfums
éphémères des calices qui s'ouvrent, le parfum
plus durable du miel où vit le souvenir des calices
que le temps a fermés. Or, il n'en est rien. Plus leur
demeure est riche, moins elles montrent d'ardeur à
combattre autour d'elles. Ouvrez ou renversez une
ruche opulente : si vous avez eu soin d'écarter à l'aide
d'une bouffée de tabac les sentinelles de l'entrée, il
sera extrêmement rare que les autres abeilles son
gent à vous disputer le liquide butin conquis sur
les sourires et sur toutes les grâces des beaux mois
azurés. Faites-en l'expérience, je vous promets l'im-
punité si vous ne touchez qu'aux ruches les plus
lourdes. Vous les retournerez et vous les viderez

comme de vibrantes mais inoffensives amphores.
Qu'est-ce à dire ? Les âpres amazones ont-elles
perdu courage ? — l'abondance les a-t-elle amollies,
et, à l'exemple des habitants trop fortunés des villes
luxueuses, se sont-elles déchargées des devoirs péril-
leux sur les malheureux mercenaires qui veillent
près des portes ?

Non ; on ne remarque point que le plus grand bonheur énerve leur vertu. Au contraire ; plus la république est prospère, plus les lois y sont dures et
sévèrement appliquées, et l'ouvrière d'une ruche
où le superflu s'accumule, travaille avec bien plus
d'ardeur que celle d'une ruche indigente. Il y a
d'autres raisons que nous ne pénétrons pas entièrement, mais qui sont vraisemblables pour peu qu'on
tienne compte de l'interprétation effarée que la
pauvre abeille doit donner à nos gestes monstrueux.
En voyant tout à coup son immense demeure sou-
levée, culbutée, entr'ouverte, elle s'imagine probablement qu'il s'agit d'une catastrophe inévitable et
naturelle contre laquelle il serait insensé de lutter.
Elle ne résiste plus, mais elle ne fuit pas. Ayant
admis la ruine, il semble que déjà elle voie dans son
instinct la demeure future, qu'elle espère rebâtir
avec les matériaux arrachés à la ville éventrée. Elle
laisse le présent sans défense pour sauver l'avenir.
Ou bien est-ce que, peut-être, comme le chien de la
fable, « le chien qui porte au cou le dîner de son
maître », constatant que tout est perdu sans retour,
elle aime mieux périr en prenant sa part du pillage

et passer de la vie à la mort dans une orgie unique
et prodigieuse ? Nous ne savons au juste. Comment
sonderions-nous les mobiles de l'abeille, alors que
ceux des plus simples actions de nos frères nous sont
inaccessibles ?

Toujours est-il qu'à chaque grande épreuve
de la cité, à chaque trouble qui leur paraît avoir
un caractère inéluctable, dès que l'affolement s'est
propagé de proche en proche parmi le peuple noir
et frémissant, les abeilles se précipitent sur les
rayons, arrachent violemment les couvercles sacrés
des provisions d'hiver, basculent la tête la première
dans les cuves odorantes, y plongent tout entières,
y aspirent longuement le chaste vin des fleurs, s'en
gorgent, s'en enivrent jusqu'à ce que leurs ventres
cerclés d'anneaux de bronze s'allongent et se disten-
dent comme des outres étranglées. Or, l'abeille
gonflée de miel ne peut plus courber l'abdomen selon
l'angle requis pour tirer l'aiguillon. Elles deviennent
dès lors mécaniquement, pour ainsi dire, inoffensives.
On s'imagine en général que l'apiculteur use de
l'enfumoir pour étourdir, asphyxier à demi les
belliqueuses trésorières de l'azur, et s'introduire
ainsi à la faveur d'un sommeil sans défense, dans le
palais des innombrables amazones endormies.
C'est une erreur ; la fumée sert d'abord à refouler

les gardiennes du seuil, toujours sur le qui-vive et extrêmement belliqueuses : puis deux ou trois bouffées vont semer la panique parmi les ouvrières ; la panique provoque la mystérieuse orgie, et l'orgie l'impuissance. Ainsi s'explique que l'on peut, les bras nus et le visage découvert, ouvrir les plus populeuses ruchées, en examiner les rayons, secouer les abeilles, les répandre à ses pieds, les amonceler, les transvaser comme des grains de blé et récolter tranquillement le miel, au milieu de l'assourdissante nuée des ouvrières dépossédées, sans avoir à subir une seule piqûre.

Mais malheur à qui touche aux ruches pauvres ! Eloignez-vous des habitacles de misère ! Ici, la fumée n'a plus aucun prestige, et à peine aurez-vous envoyé les premières bouffées que vingt mille démons aigus et frénétiques jailliront de l'enceinte, accableront vos mains, étourdiront vos yeux, noirciront votre face. Nul être vivant, excepté l'ours, dit-on, et le « sphinx Atropos », ne résiste à la rage des légions acérées. Surtout ne luttez pas, la fureur gagnerait les colonies voisines ; et l'odeur du venin répandu affolerait toutes les républiques d'alentour. Il n'est d'autre salut que dans une prompte fuite à travers les buissons. L'abeille est moins rancunière, moins implacable que la guêpe et poursuit rarement

l'ennemi. Si la fuite est impossible, l'immobilité
absolue pourrait seule la calmer ou lui donner le
change. Elle redoute et attaque tout mouvement
trop brusque, mais pardonne aussitôt à ce qui ne
bouge plus.

Les ruches pauvres vivent, ou plutôt meurent au
jour le jour, et c'est parce qu'elles n'ont pas de miel
en leurs celliers que la fumée n'a point d'action sur
les abeilles. Ne pouvant se gorger comme leurs
sœurs des tribus plus heureuses, les possibilités
d'une cité future n'égarent pas leur ardeur. Elles ne
pensent qu'à périr sur le seuil profané et, maigres,
efflanquées, agiles, effrénées, le défendent avec un
héroïsme, un acharnement inouïs. Aussi l'apiculteur
prudent ne déplace-t-il jamais les ruches indigentes
sans avoir fait un sacrifice préalable aux Euméni-
des affamées. Il leur offre un gâteau de miel. Elles
accourent, puis, la fumée aidant, elles s'enflent et
s'enivrent, — et les voilà réduites à l'impuissance
comme les riches bourgeoises des cellules plantu-
reuses.

Il y aurait encore beaucoup à dire sur la colère
des abeilles et sur leurs antipathies singulières. Ces
antipathies sont souvent si étranges qu'on les attri-
bua longtemps, qu'on les attribue encore, parmi les
paysans, à des causes morales, à des intuitions mys-

tiques et profondes. On est convaincu, par exemple, que les virginales vendangeuses ne peuvent supporter l'approche de l'impudique, surtout de l'adultère. Il serait surprenant que le plus raisonnable des êtres qui vivent avec nous sur ce globe incompréhensible attachât tant d'importance à un péché souvent fort innocent. Au fond, elles n'en ont cure ; mais elles, dont la vie est bercée tout entière au souffle nuptial et somptueux des fleurs, ont horreur des parfums que nous dérobons à celles-ci.

Faut-il croire que la chasteté répand moins de parfums que l'amour ? Est-ce là l'origine de la rancune des jalouses abeilles et de l'austère légende qui venge des vertus aussi jalouses qu'elles ? Quoi qu'il en soit, elle est à classer, cette légende, au nombre de tant d'autres qui croient faire grand honneur aux phénomènes de la nature en leur prêtant des sentiments humains. Il conviendrait au contraire de mêler le moins possible notre psychologie humaine à tout ce que nous ne comprenons pas facilement ; il conviendrait de ne chercher nos explications qu'en dehors, en deçà ou au delà de l'homme, car c'est probablement là que se trouvent les révélations décisives que nous attendons encore.

LE SUFFRAGE UNIVERSEL

Il semble que peu à peu, tout s'accorde à prouver
que les dernières vérités se trouvent aux points extrêmes des pensées que l'homme avait refusé d'explo-
rer jusqu'ici. On peut l'affirmer pour les sciences
morales comme pour les positives; et aucune raison
n'empêche d'y joindre la politique qui n'est qu'un
prolongement de la morale.

L'humanité, durant des siècles, a vécu en quelque
sorte à mi-chemin d'elle-même. Mille préjugés, et
avant tout les énormes préjugés religieux, lui
cachaient les sommets de sa raison et de ses sentiments. Maintenant que se sont notablement affais-
sées la plupart des montagnes artificielles qui s'éle-
vaient entre ses yeux et l'horizon réel de son esprit,
elle prend à la fois conscience d'elle-même, de sa
situation parmi les mondes et du but où elle veut
aboutir. Elle commence à comprendre que tout ce
qui ne va pas aussi loin que les conclusions logiques
de son intelligence n'est qu'un jeu inutile sur la
route. Elle se dit qu'il faudra faire demain le chemin
qu'on n'a point parcouru aujourd'hui et qu'en
attendant, à perdre ainsi son temps entre chaque

étape, il n'y a rien à gagner qu'un peu de paix trom-
peuse.

Il est écrit dans notre nature que nous sommes
des êtres extrêmes ; c'est notre force et la cause de
notre progrès. Nous nous portons nécessairement
et instinctivement aux dernières limites de notre être.
Nous ne nous sentons vivre, et nous ne pouvons
organiser une vie qui nous satisfasse qu'aux confins
de nos possibilités. Grâce à cet instinct qui s'éclaire,
il y a une tendance de plus en plus unanime à ne plus
s'arrêter aux solutions intermédiaires, à éviter dorénavant les expériences à mi-côte, ou du moins à
passer sur elles le plus rapidement possible.

Ce n'est pas à dire que cette tendance aux extrêmes
suffise à nous guider vers les certitudes définitives.
Il y a toujours deux extrêmes entre lesquels il faut
choisir ; et il est souvent difficile de déterminer lequel
est au point de départ et lequel au point d'arrivée.
En morale, par exemple, nous avons à nous décider entre l'égoïsme ou l'altruisme absolu, et en
politique, entre le gouvernement le mieux organisé
qu'il soit possible d'imaginer, dirigeant et proté-
geant les moindres actes de notre vie, ou l'absence
de tout gouvernement. Les deux questions sont encore
insolubles. Cependant il est permis de croire que
l'altruisme absolu est plus extrême et plus près de
notre but que l'égoïsme absolu, de même que l'anar-

chie est plus extrême et plus près de la perfection de
notre espèce que le gouvernement le plus minutieu-
sement, le plus irréprochablement organisé ; tel
que celui qu'on pourrait par exemple imaginer aux
dernières limites du socialisme intégral. Il est permis
de le croire parce que l'altruisme absolu et l'anarchie sont les formes extrêmes qui requièrent l'homme
le plus parfait. Or, c'est du côté de l'homme parfait
que nous avons à tendre nos regards ; car c'est de ce
côté qu'il faut espérer que l'humanité se dirige. L'expérience ne dément pas encore qu'on risque moins
de se tromper en portant les yeux devant soi
qu'en les portant derrière soi, en regardant trop haut,
qu'en regardant trop bas. Tout ce que nous avons
obtenu jusqu'ici a été annoncé et pour ainsi dire
appelé par ceux qu'on accusait de regarder trop haut.
Il est donc sage, dans le doute, de s'attacher à
l'extrême qui suppose l'humanité la plus parfaite,
la plus noble et la plus généreuse. C'est ainsi qu'on a
pu répondre à qui demandait s'il était bon d'accorder aux hommes, malgré leurs imperfections actuelles, une liberté aussi complète que possible ? Oui,
il est du devoir de tous ceux dont les pensées précèdent la masse inconsciente, de détruire tout ce qui
entrave la liberté des hommes, comme si tous les
hommes méritaient d'être libres, quoiqu'on sache
qu'ils ne mériteront de l'être que bien longtemps
après leur délivrance. L'usage harmonieux de la
liberté ne s'acquiert que par un long abus des bienfaits de celle-ci. C'est en allant d'abord à l'idéal le

plus éloigné et le plus haut qu'on a le plus de chance
de découvrir ensuite l'idéal le meilleur. — Ce qui est
vrai de la liberté l'est également des autres droits de
l'homme.

Pour appliquer ce principe au suffrage universel,
rappelons-nous l'évolution politique des peuples
modernes. Elle suit une courbe uniforme et inflexible. Un à un ces peuples échappent à la tyrannie. Un
gouvernement plus ou moins aristocratique ou plou-
tocratique, élu d'un suffrage restreint, remplace
l'autocrate. Ce gouvernement cède à son tour, ou est
presque partout sur le point de céder au gouvernement de tous par le suffrage universel. A quoi abou-
tira celui-ci ? Nous ramènera-t-il à la tyrannie ? Se
transformera-t-il en suffrage gradué ? Deviendra-t-il
une sorte de mandarinat, le gouvernement d'une
élite ou une anarchie organisée ? Nous ne le savons
pas encore, aucun peuple n'ayant jusqu'ici dépassé
la phase du suffrage de tous.

Presque partout, pour obéir à la loi aujourd'hui
si active qui nous porte aux extrêmes, on brûle les
étapes afin d'atteindre plus vite ce qui paraît être
le dernier idéal politique des peuples : le suffrage
universel. Cet idéal masquant encore complètement
l'idéal meilleur qui se cache probablement derrière

lui, et ne paraissant pas ce qu'il est peut-être : une solution provisoire, arrêtera, jusqu'à ce qu'on ait épuisé toutes les illusions qu'il renferme, les regards et les vœux de l'humanité. C'est le but nécessaire, bon ou mauvais, vers lequel s'avancent les nations. Il est indispensable à la justice instinctive de la masse que l'évolution s'accomplisse. Tout ce qui l'entrave n'est qu'obstacle éphémère. Tout ce qui prétend à améliorer cet idéal avant qu'il ait été atteint le recule vers l'erreur du passé. Comme tout idéal universel et impérieux, comme tout idéal qui se forme dans les profondeurs de la vie anonyme, il a d'abord le droit de se réaliser. Si après sa réalisation on remarque qu'il ne tient pas ce qu'il avait promis, il sera juste qu'on songe à le perfectionner ou à le remplacer. En attendant, il est inscrit dans l'instinct de la masse, aussi indestructiblement que dans le bronze, que tous les peuples ont le droit naturel de passer par cette phase de l'évolution politique du polypier humain, et d'interroger, chacun à son tour, chacun dans sa langue, avec ses vertus et ses défauts particuliers, les possibilités de bonheur qu'elle apporte.

C'est pourquoi, plein du devoir de vivre, cet idéal est très justement jaloux, intolérant et excessif. Comme tout organisme encore jeune, il élimine violemment ce qui peut altérer la pureté de son sang. Il est possible que les éléments empruntés à la monarchie et à l'aristocratie qu'on essaye d'introduire dans ses veines adolescentes soient excellents en eux-mêmes ;

mais ils lui sont nuisibles puisqu'ils lui inoculent
le mal dont il a d'abord à se guérir. Avant que le
gouvernement de tous soit rendu plus sage, plus
limpide et plus harmonieux par le mélange d'autres
régimes, il est nécessaire qu'il se soit purifié par sa
propre fermentation. C'est après qu'il se sera débar-
rassé de toutes les traces, de tous les souvenirs du
passé, après qu'il aura régné dans la certitude et
l'intégrité de sa force, qu'il conviendra de l'inviter
à choisir dans ce passé, ce qui importe à son avenir.
Il l'y prendra selon ses appétits naturels qui, de
même que les appétits naturels de tout être vivant,
savent de science sûre ce qui est indispensable au
mystère de la vie.

*
* *

Les peuples ont donc raison de rejeter provisoi-
rement ce qui est peut-être meilleur que le suffrage
universel. Il est possible que la foule admette par la
suite que les plus intelligents discernent et gouvernent mieux que les autres le bien de tous. Elle
leur accordera alors une prépondérance légitime.
Pour l'instant, elle n'y songe pas encore. Elle n'a
pas eu le temps de se reconnaître. Elle n'a pas eu le
temps d'épuiser des expériences qui paraissent absur-
des, mais qui sont nécessaires parce qu'elles débar-
rassent le lieu où se cachent sans doute les dernières
vérités.

Il en est des peuples comme des individus : ce qui

compte, c'est ce qu'ils apprennent par eux-mêmes à leurs dépens, et leurs erreurs forment les biens de l'avenir. Il ne sert de rien de dire à un homme durant son enfance ou sa jeunesse : « Ne mentez pas, ne trompez point, ne faites pas souffrir. » Ces préceptes de sagesse, qui sont en même temps des préceptes de bonheur, ne pénètrent en lui, ne nourrissent ses pensées, ne deviennent des réalités bienfaisantes qu'après que la vie les lui a révélés comme des vérités nouvelles et magnifiques que personne n'avait soupçonnées. De même, il est inutile de répéter à un peuple qui cherche son destin. « Ne croyez pas que le nombre ait raison ; qu'un mensonge affirmé par cent bouches cesse d'être un mensonge; qu'une erreur proclamée par une troupe d'aveugles devienne une vérité que la nature sanctionnera. Ne croyez pas davantage qu'en vous mettant dix mille qui ignorent contre un seul qui sait, vous saurez quelque chose, ou que vous forcerez la plus humble des lois éternelles à vous suivre, à délaisser celui qui l'avait reconnue. Non, la loi restera à sa place près du sage qui la découvrit, et tant pis pour vous tous si vous vous éloignez sans l'avoir acceptée ! Vous la retrouverez un jour sur votre route, et ce que vous aurez fait en pensant l'esquiver tournera contre vous. »

Ce qu'on dit ainsi à la foule est très vrai ; mais il

est non moins vrai que tout cela ne devient efficace
qu'après avoir été éprouvé et vécu. Dans ces problèmes où convergent toutes les énigmes de la vie,
la foule qui se trompe a presque toujours raison
contre le sage qui a raison. Elle refuse de le croire
sur parole. Elle sent obscurément que derrière les
plus évidentes vérités abstraites il y a d'innombrables vérités vivantes que nul cerveau ne peut prévoir, car il leur faut le temps, la réalité et les passions
des hommes pour développer leur œuvre. C'est pourquoi, quelque avertissement qu'on lui donne, quelque prédiction que l'on fasse, elle exige qu'avant tout
on tente l'expérience. Pouvons-nous dire que là où
elle l'obtint elle ait eu tort de l'exiger ? Il faudrait une
étude spéciale pour examiner ce que le suffrage universel a ajouté à l'intelligence générale, à la conscience, à la dignité, à la solidarité civiques des peuples qui l'ont pratiqué ; mais quand il n'aurait fait
autre chose que créer, comme en Amérique et en
France, le sentiment d'égalité réelle qu'on y respire
comme une atmosphère plus humaine et plus pure,
et qui semble nouvelle et presque prodigieuse à ceux
qui viennent d'ailleurs, ce serait déjà un bienfait qui
ferait pardonner ses plus graves erreurs. En tout
cas, c'est la meilleure préparation à ce qui doit
venir.

L'INTELLIGENCE
DES FLEURS [1]

NOTRE DEVOIR SOCIAL

Partons loyalement de la grande vérité : il n'y a
pour ceux qui possèdent, qu'un seul devoir certain : qui est de se dépouiller de ce qu'ils ont, de
façon à se mettre en l'état de la masse qui n'a rien.
Il est entendu, en toute conscience lucide, qu'il
n'en existe pas de plus impérieux, mais on y reconnaît en même temps, qu'il est, par manque de courage, impossible de l'accomplir. Du reste, dans
l'histoire héroïque des devoirs, même aux époques
les plus ardentes, même à l'origine du christianisme
et dans la plupart des ordres religieux qui culti-
vèrent expressément la pauvreté, c'est peut-être
le seul qui n'ait jamais été entièrement rempli. Il

---

(1) *L'Intelligence des Fleurs*, 1 vol. Fasquelle éditeur, 1907.

importe donc, en s'occupant de nos devoirs subsi-
diaires, de ne point oublier que l'essentiel est sciem-
ment éludé. Que cette vérité nous domine. Souve-
nons-nous que nous parlons dans son ombre, et
que nos pas les plus hardis, les plus extrêmes, ne
nous conduiront jamais au point où il faudrait que
nous fussions d'abord.

***

Puisqu'il paraît qu'il s'agit là d'une impossibilité
absolue autour de laquelle il est oiseux de s'étonner encore, acceptons la nature humaine telle
qu'elle s'offre. Cherchons donc sur d'autres routes
que la seule directe, — n'ayant pas la force de la
parcourir, — ce qui, en attendant cette force, peut
nourrir notre conscience. Il y a ainsi, pour ne plus
parler de la grande, deux ou trois questions que se
posent sans cesse les cœurs de bonne volonté.
Que faire en l'état actuel de notre société ? Faut-il
se ranger, à *priori*, systématiquement, du côté de
ceux qui la désorganisent ou dans le camp de ceux
qui s'évertuent à en maintenir l'économie ? — Est-il
plus sage de ne point lier son choix, de défendre tour
à tour ce qui semble raisonnable et opportun dans
l'un et l'autre parti ? Il est certain qu'une conscience sincère peut trouver ici ou là de quoi satis-
faire son activité ou bercer ses reproches. C'est

pourquoi, devant ce choix qui s'impose aujourd'hui
à toute intelligence honnête, il n'est pas inutile
de peser le pour et le contre plus simplement qu'on
ne le pratique d'habitude, et comme le pourrait faire
l'habitant désintéressé de quelque planète voisine.

Ne reprenons pas toutes les objections traditionnelles, mais seulement celles qui peuvent être assez
sérieusement défendues. Nous rencontrons d'abord
la plus ancienne, qui soutient que l'inégalité est inévitable, étant conforme aux lois de la nature. Il
est vrai; mais l'espèce humaine paraît assez probablement créée pour s'élever au-dessus de certaines lois
de la nature. Si elle renonçait à surmonter plusieurs
de ces lois, son existence même serait remise en
péril. Il est conforme à sa nature particulière
d'obéir à d'autres lois qu'à celles de sa nature
animale, etc. Du reste, l'objection est dès longtemps
classée parmi celles dont le principe est insoute-
nable et mènerait au massacre des faibles, des
malades, des vieillards, etc.

On dit ensuite qu'il est bon, pour hâter le
triomphe de la justice, que les meilleurs ne se
dépouillent pas prématurément de leurs armes, dont
les plus efficaces sont précisément la richesse et le

loisir. On reconnaît suffisamment ici la nécessité du grand sacrifice, et l'on ne met en question que son opportunité. Soit ; à condition qu'il demeure bien convenu que ces richesses et ce loisir servent uniquement à hâter les pas de la justice.

Un autre argument conservateur, digne d'attention, affirme que le premier devoir de l'homme étant d'éviter la violence et l'effusion du sang, il est indispensable que l'évolution sociale ne soit pas trop rapide, qu'elle mûrisse lentement, qu'il importe de la tempérer en attendant que la masse s'éclaire et soit portée graduellement et sans dangereuses secousses vers une liberté et une plénitude de biens qui, en ce moment, ne déchaîneraient que ses pires instincts. Il est encore vrai ; néanmoins il serait intéressant de calculer, — puisqu'on n'arrive au mieux que par le mal, — si les maux d'une révolution brusque, radicale et sanglante, l'emportent sur les maux qui se perpétuent dans l'évolution lente. Il conviendrait de se demander s'il n'y a pas avantage à agir au plus vite ; si tout compte fait, les souffrances silencieuses de ceux qui attendent dans l'injustice ne sont pas plus graves que celles que subiront durant quelques semaines ou quelques mois les privilégiés d'aujourd'hui. On oublie volontiers que les bourreaux de la misère sont moins bruyants, moins scéniques, mais infiniment plus nombreux, plus cruels, plus actifs que ceux des plus affreuses révolutions.

Enfin, dernier argument et peut-être le plus troublant : l'humanité, déclare-t-on, depuis plus d'un siècle, parcourt les années les plus fécondes, les plus victorieuses, les années probablement climatériques de sa destinée. Elle semble, à considérer le passé, dans la phase décisive de son évolution. On croirait, à certains indices, qu'elle est près d'atteindre son apogée. Elle traverse une période d'inspiration à laquelle nulle autre ne se peut historiquement comparer. Un rien, un dernier effort, un trait de lumière qui reliera ou soulignera les découvertes, les intuitions éparses ou en suspens, la sépare seule peut-être des grands mystères. Elle vient d'aborder des problèmes dont la solution, aux dépens de l'ennemi héréditaire, c'est-à-dire du grand inconnu de l'univers, rendrait vraisemblablement inutiles tous les sacrifices que la justice exige des hommes. N'est-il pas dangereux d'arrêter cet élan, de troubler cette minute précieuse, précaire et suprême ? En admettant même que ce qui est acquis ne se puisse plus perdre comme dans les bouleversements antérieurs, il est néanmoins à craindre que l'énorme désorganisation exigée par l'équité mette brusquement fin à cette période heureuse ; et il n'est pas indubitable qu'elle renaisse de longtemps, les lois qui président à l'inspiration du génie de l'espèce étant aussi capricieuses, aussi instables que celles qui président à l'inspiration du génie de l'individu.

C'est peut-être, comme je l'ai dit, l'argument

le plus inquiétant. Mais, sans doute, attache-t-il
trop d'importance à un danger assez incertain. Au
surplus, il y aura, à cette brève interruption de la
victoire humaine, de prodigieuses compensations.
Pouvons-nous prévoir ce qu'il adviendra lorsque
l'humanité entière prendra part au labeur intellectuel qui est le labeur propre à notre espèce ?
Aujourd'hui, c'est à peine si un cerveau sur cent
mille se trouve dans des conditions pleinement
favorables à son activité. Il se fait en ce moment
un monstrueux gaspillage de forces spirituelles.
L'oisiveté endort par en haut autant d'énergies
mentales que l'excès de travail manuel en éteint
par en bas. Incontestablement, quand il sera donné
à tous de se mettre à la tâche à présent réservée
à quelques élus du hasard, l'humanité multipliera
des milliers de fois ses chances d'arriver au grand
but mystérieux.

Voilà, je pense, le meilleur du pour et du contre,
les raisons les plus raisonnables que puissent invo-
quer ceux qui n'ont point hâte d'en finir. Au milieu
de ces raisons se dresse l'énorme monolithe de
l'injustice. Il est inutile de lui prêter une voix. Il
oppresse les consciences, il borne les intelligences.
Aussi ne saurait-il être question de ne le point
détruire; on demande seulement à ceux qui le veulent

renverser quelques années de patience, afin qu'après
avoir déblayé ses entours, sa chute entraîne de
moindres désastres. Faut-il accorder ces années et
parmi ces motifs de hâte ou d'attente, quel sera
donc le choix de la meilleure foi ?

*
* *

Les arguments qui demandent quelques années
de répit vous semblent-ils suffisants ? Ils sont assez
précaires ; mais encore ne serait-il pas juste de les
condamner sans considérer le problème d'un point
plus élevé que la raison pure. Ce point doit toujours
être recherché dès qu'il s'agit de questions qui
débordent l'expérience humaine. On pourrait fort
bien soutenir, par exemple, que le choix ne saurait
être le même pour tous. L'espèce, qui a probablement de ses destinées une conscience infinie qu'aucun individu ne peut saisir, aurait très sagement
réparti entre les hommes les rôles qui leur convien-
nent dans le haut drame de son évolution. Pour des
motifs que nous ne comprenons pas toujours, il est
sans doute nécessaire qu'elle progresse lentement ;
c'est pourquoi l'énorme masse de son corps l'attache au passé et au présent, et de très loyales intelligences peuvent se trouver dans cette masse,
comme il est possible à de très médiocres de s'en
évader. Qu'il y ait satisfaction ou mécontente-
ment désintéressé du côté de l'ombre ou de la

lumière, peu importe : c'est souvent une question
dé prédestination et de distribution de rôles plutôt
que d'examen. Quoi qu'il en soit, ce serait pour
nous, dont la raison juge déjà la faiblesse des arguments du passé, un motif nouveau d'impatience.
Admettons-en, par surcroît, la force très plausible.
Il suffit donc qu'aujourd'hui ne nous satisfasse point,
pour que nous ayons le devoir, pour ainsi dire organique, de détruire tout ce qui le soutient, afin de
préparer l'arrivée de demain. Alors même que nous
verrions fort nettement les dangers et les inconvé-
nients d'une trop prompte évolution, il est requis,
pour que nous remplissions fidèlement la fonction
assignée par le génie de l'espèce, que nous passions
outre à toute patience, à toute circonspection. Dans
l'atmosphère sociale, nous représentons l'oxygène,
et si nous nous y conduisons comme l'azote inerte,
nous trahissons la mission que nous a confiée la
nature, ce qui, dans l'échelle des crimes qui nous restent, est la plus grave et la plus impardonnable des
forfaitures. Nous n'avons pas à nous préoccuper des
conséquences souvent fâcheuses de notre hâte ;
cela n'est pas écrit dans notre rôle, et en tenir compte,
serait ajouter à ce rôle des mots infidèles qui ne
se trouvent point dans le texte authentique dicté
par la nature. L'humanité nous a désignés pour
accueillir ce qui s'élève à l'horizon. Elle nous a donné
une consigne qu'il ne nous appartient pas de
discuter. Elle répartit ses forces comme bon lui
semble. A tous les carrefours de la route qui mène

à l'avenir, elle a mis, contre chacun de nous, dix mille hommes qui gardent le passé, ne craignons donc point que les plus belles tours d'autrefois ne soient pas suffisamment défendues. Nous ne sommes que trop naturellement enclins à temporiser, à nous attendrir sur des ruines inévitables ; c'est notre plus grand tort. Le moins que puissent faire les plus timorés d'entre nous, — et ils sont déjà bien près de trahir, — c'est de ne point ajouter à l'immense poids mort que traîne la nature. Mais que les autres suivent aveuglément l'élan intime de la puissance qui les pousse plus outre. Quand bien même leur raison n'approuverait aucune des mesures extrêmes auxquelles ils prennent part, qu'ils agissent et espèrent par delà leur raison ; car, en toutes choses, à cause de l'appel de la terre, il faut viser plus haut que le but qu'on aspire à atteindre.

Ne craignons pas d'être entraînés trop loin ; et que nulle réflexion, quelque juste qu'elle soit, ne brise ou tempère notre ardeur. Nos excès d'avenir sont nécessaires à l'équilibre de la vie. Assez d'hommes autour de nous ont le devoir exclusif, la mission très précise d'éteindre les feux que nous allumons. Allons toujours aux lieux les plus extrêmes de nos pensées, de nos espoirs et de notre

justice. Ne nous persuadons pas que ces efforts ne
sont imposés qu'aux meilleurs; il n'en est rien, et
les plus humbles d'entre nous qui pressentent une
aurore qu'ils ne comprennent pas, doivent l'attendre tout au haut d'eux-mêmes. Leur présence sur
ces sommets intermédiaires remplira de substance
vivante l'intervalle dangereux des premiers aux
derniers et maintiendra les communications indis-
pensables entre l'avant-garde et la masse.

Songeons parfois au grand vaisseau invisible
qui porte sur l'éternité nos destinées humaines. Il
a, comme les vaisseaux de nos océans limités, ses
voiles et son lest. Si l'on craint qu'il roule ou qu'il
tangue au sortir de la rade, ce n'est pas une raison
pour augmenter le poids du lest en descendant à
fond de cale les belles voiles blanches. Elles ne
furent pas tissées pour moisir dans l'obscurité à
côté des pierres du chemin. Le lest, on en trouve
partout ; tous les cailloux du port, tout le sable des
plages y est propre. Mais les voiles sont rares et
précieuses ; leur place n'est point dans les ténèbres
des sentines, mais parmi la lumière des hauts
mâts où elles recueilleront les souffles de l'espace.

***

Ne nous disons pas : c'est dans la mesure, dans
l'honnête moyenne que se trouve toujours la meilleure vérité. Cela serait peut-être vrai, si la plupart

des hommes ne pensaient, n'espéraient beaucoup plus bas qu'il ne convient. C'est pourquoi il est nécessaire que les autres pensent et espèrent plus haut qu'il ne paraît raisonnable. La moyenne, l'honnête moyenne d'aujourd'hui sera prochainement ce qu'il y aura de moins humain. Je trouve, au hasard d'une récente lecture, dans la vieille chronique flamande de Marcus van Warnewyck, un curieux exemple de cette excellente opinion du bon sens ou plutôt du sens commun et du juste milieu. Marcus van Warnewyck était un riche bourgeois de Gand, lettré et extrêmement sage. Il nous a laissé le journal minutieux de tous les événements qui se déroulèrent dans sa ville natale, de 1566 à 1568, c'est-à-dire du premier délire des iconoclastes à la terrible répression du duc d'Albe. Ce qu'il convient d'admirer dans ce récit authentique et savoureux, ce n'est pas tant la vive couleur, la précision pittoresque des moindres tableaux : pendaisons, scènes de bûchers, tortures, émeutes, batailles, prêches, etc., pareils à des Breughels, que la sereine et limpide impartialité du narrateur. Catholique fervent, il blâme d'une plume égale et modérée les excès des Réformés et des Espagnols. Il est le juge incorruptible, le juste par excellence. Il représente vraiment la suprême sagesse pratique et pondérée, la meilleure volonté, l'humanité la plus raisonnable, la plus saine, l'indulgence, la pitié la mieux équilibrée, la plus éclairée de son temps. Il se permet parfois de trouver regrettable que tant de supplices soient nécessaires.

Il semble estimer, sans oser ouvertement soutenir une opinion aussi paradoxale, qu'il ne serait peut-être pas indispensable de brûler un si grand nombre d'hérétiques. Mais il ne paraît pas se douter un instant qu'il serait préférable de n'en point brûler du tout. Cette opinion est si extravagante, se trouve à de telles extrémités de la pensée humaine, qu'elle ne lui vient même pas à l'esprit, qu'elle n'est pas encore visible à l'horizon ou aux sommets de l'intelligence de son époque. C'est pourtant l'humble opinion moyenne d'aujourd'hui. N'en va-t-il pas de même, en ce moment, dans nos questions irrésolues du mariage, de l'amour, des religions, de l'autorité, de la guerre, de la justice, etc. ? L'humanité n'a-t-elle pas encore assez vécu pour qu'elle se rende compte que c'est toujours l'idée extrême, c'est-à-dire la plus haute, celle du sommet de la pensée qui a raison ? En ce moment, l'opinion la plus raisonnable, au sujet de notre question sociale, nous invite à faire tout le possible afin de diminuer peu à peu les inégalités inévitables et répartir plus équitablement le bonheur. L'opinion extrême exige sur l'heure le partage intégral, la suppression de la propriété, le travail obligatoire, etc. Nous ne savons pas encore comment se réaliseront ces exigences ; mais il est d'ores et déjà certain que de très simples circonstances les feront paraître un jour aussi naturelles que la suppression du droit d'aînesse ou des privilèges de la noblesse. Il importe, en ces questions d'une

durée d'espèce et non de peuple ou d'individu,
de ne point se limiter à l'expérience de l'histoire.
Ce qu'elle confirme et ce qu'elle dément s'agite
dans un cercle insignifiant. La vérité ici se trouve
bien moins dans la raison, toujours tournée vers
le passé, que dans l'imagination qui voit plus loin
que l'avenir.

※ ※

Que notre raison s'efforce donc de monter plus
haut que l'expérience. C'est facile aux jeunes
gens, mais il est salutaire que l'âge mûr et la vieillesse apprennent à s'élever à l'ignorance lumineuse
de la jeunesse. Nous devons, à mesure que s'écoulent nos années, nous prémunir contre les dangers
que font courir à notre confiance le grand nombre d'hommes malfaisants que nous avons ren-
contrés. Continuons, malgré tout, d'agir, d'aimer
et d'espérer comme si nous avions affaire à une
humanité idéale. Cet idéal n'est qu'une réalité
plus vaste que celle que nous voyons. Les fautes
des individus n'altèrent pas davantage la pureté
et l'innocence générales, que les vagues de la surface, vues d'une certaine hauteur, ne troublent,
au dire des aéronautes, la limpidité profonde de
la mer.

N'écoutons que l'expérience qui nous pousse en avant ; elle est toujours plus haute que celle qui nous retient ou nous rejette en arrière. Repoussons tous les conseils du passé qui ne nous tournent pas vers l'avenir. C'est ce que comprirent admirablement, et pour la première fois peut-être dans l'histoire, certains hommes de la Révolution ; et c'est pourquoi cette Révolution est celle qui fit les plus grandes choses et les plus durables. Ici, cette expérience nous enseigne qu'au rebours de ce qui a lieu dans les choses de vie journalière, il importe avant tout de détruire. En tout progrès social, le grand travail, et le seul difficile, c'est la destruction du passé. Nous n'avons pas à nous soucier de ce que nous mettrons à la place des ruines. La force des choses et de la vie se chargera de reconstruire ; elle n'a même que trop de hâte à réédifier, et il ne serait pas bon de l'aider dans sa tâche précipitée. N'hésitons donc point à user jusqu'à l'excès de nos forces destructives : les neuf dixièmes de la violence de nos coups se perdent parmi l'inertie de la masse ; comme le choc du plus lourd marteau se disperse dans une grosse pierre et devient pour ainsi dire insensible à la main de l'enfant qui soutient celle-ci.

Et ne redoutons pas qu'on puisse aller trop vite. Si, à certaines heures, on semble brûler dangereu-

sement les étapes, c'est pour balancer des retarde-
ments injustifiés et rattraper le temps perdu
durant des siècles inactifs. L'évolution de notre univers continue pendant ces périodes d'inertie, et il est
probablement nécessaire que l'humanité se trouve
à tel point déterminé de son ascension au moment
de tel phénomène sidéral, de telle crise obscure de
la planète ou même de la naissance de tel homme.
C'est l'instinct de l'espèce qui décide de ces choses,
c'est son destin qui parle ; et si cet instinct ou ce
destin se trompe, il ne nous appartient pas d'intervenir, car tout contrôle cesse ; nous sommes au
bout et au sommet de nous-mêmes ; et plus haut,
il n'y a plus rien qui puisse corriger notre erreur.

LA MESURE DES HEURES

L'été est la saison du bonheur. Quand reviennent parmi les arbres, dans la montagne ou sur
les plages, les belles heures de l'année, celles qu'on
attend et qu'on espère du fond de l'hiver, celles
qui nous ouvrent enfin les portes dorées du loisir,
apprenons à en jouir pleinement, longuement, volup-
tueusement. Ayons pour ces heures privilégiées
une mesure plus noble que celle où nous répan-
dons les heures ordinaires. Recueillons leurs éblouissantes minutes dans des urnes inaccoutumées,
glorieuses, transparentes et faites de la lumière
même qu'elles doivent contenir ; comme on verse
un vin précieux non dans les verreries vulgaires de
la table quotidienne, mais dans la plus pure coupe
de cristal et d'argent que recèle le dressoir des
grandes fêtes.

Mesurer le temps ! Nous sommes ainsi faits que
nous ne prenons conscience de celui-ci et ne pouvons nous pénétrer de ses tristesses ou de ses féli-
cités qu'à la condition de le compter, de le peser

comme une monnaie que nous ne verrions point.
Il ne prend corps, il n'acquiert sa substance
et sa valeur que dans les appareils compliqués
que nous avons imaginés pour le rendre visible, et, n'existant pas en soi, il emprunte le goût,
le parfum et la forme de l'instrument qui le com-
pute. C'est ainsi que la minute déchiquetée par nos
petites montres n'a pas même visage que celle
que prolonge la grande aiguille de l'horloge du beffroi
ou de la cathédrale. Il convient donc de n'être
pas indifférent à la naissance de nos heures. De
même que nous avons des verres dont la forme,
la nuance et l'éclat varient selon qu'ils sont appe-
lés à offrir à nos lèvres le bordeaux léger, le bour-
gogne opulent, le rhin frais, le porto lourd ou
l'allégresse du champagne, pourquoi nos minutes
ne seraient-elles pas dénombrées selon des modes
appropriés à leur mélancolie, à leur inertie,
à leur joie ? Il sied, par exemple, que nos mois
laborieux et nos jours d'hiver, jours de tracas,
d'affaires, de hâte, d'inquiétude, soient strictement,
méthodiquement, âprement divisés et enregistrés
par les rouages, les aiguilles d'acier, les disques
émaillés de nos pendules de cheminée, de nos
cadrans électriques ou pneumatiques et de nos
minuscules montres de poche. Ici, le temps majestueux, maître des hommes et des dieux, le temps,
immense forme humaine de l'éternité, n'est plus
qu'un insecte opiniâtre qui ronge mécaniquement
une vie sans horizon, sans ciel et sans repos. Tout

au plus, aux moments de détente, le soir, sous la
lampe, durant la trop brève veillée dérobée aux
soucis de la faim ou de la vanité, sera-t-il permis
au large balancier de cuivre de l'horloge cauchoise
ou flamande d'alentir et de solenniser les secondes
qui précèdent les pas de la nuit grave qui s'avance.

D'autre part, pour nos heures, non plus indifférentes mais réellement sombres, pour nos heures
de découragement, de renoncement, de maladie
et de souffrances, pour les minutes mortes de notre
vie, regrettons l'antique, le morne et silencieux
sablier de nos ancêtres. Il n'est plus aujourd'hui
qu'un inactif symbole sur nos tombes ou sur les
tentures funéraires de nos églises ; à moins que,
pitoyablement déchu, on ne le retrouve qui pré-
side encore, dans quelque cuisine de province, à
la cuisson méticuleuse de nos œufs à la coque.
Il ne subsiste plus comme instrument du temps,
bien qu'il figure encore, à côté de la faux, dans ses
armoiries surannées. Pourtant il avait ses mérites
et ses raisons d'être. Aux jours attristés de la pensée humaine, dans les cloîtres bâtis autour de la
demeure des trépassés, dans les couvents qui n'entr'ouvraient leurs portes et leurs fenêtres que sur
les lueurs indécises d'un autre monde, plus redoutable que le nôtre, il était, pour les heures dépouillées

de leurs joies, de leurs sourires, de leurs surprises
heureuses et de leurs ornements, une mesure que
nulle autre n'aurait pu remplacer sans disgrâce.
Il ne précisait pas le temps, il l'étouffait dans la poudre. Il était fait pour compter un à un les grains
de la prière, de l'attente, de l'épouvante et de
l'ennui. Les minutes y coulaient en poussière, isolées
de la vie ambiante du ciel, du jardin, de l'espace,
recluses dans l'ampoule de verre comme le moine
était reclus dans sa cellule, ne marquant, ne nom-
mant aucune heure, les ensevelissant toutes dans
le sable funèbre, tandis que les pensées désœuvrées
qui veillaient sur leur chute incessante et muette
s'en allaient avec elles s'ajouter à la cendre des
morts.

Entre les magnifiques rives de l'été de flamme, il
semble meilleur de goûter l'ardente succession des
heures dans l'ordre où les marque l'astre même qui
les épanche sur nos loisirs. En ces jours plus larges,
plus ouverts, plus épars, je n'ai foi et ne m'attache
qu'aux grandes divisions de la lumière que le soleil
me nomme à l'aide de l'ombre chaude de l'un de
ses rayons sur le cadran de marbre qui là, dans
le jardin, près de la pièce d'eau, reflète et inscrit en
silence, comme s'il faisait une chose insignifiante,
le parcours de nos mondes dans l'espace planétaire.

A cette transcription immédiate et seule authentique
des volontés du temps qui dirige les astres, notre
pauvre heure humaine, qui règle nos repas et les
petits mouvements de notre petite vie, acquiert une
noblesse, une odeur d'infini impérieuse et directe
qui rend plus vastes et plus salutaires les matinées
éblouissantes de rosée et les après-midi presque
immobiles du bel été sans tache.

Malheureusement, le cadran solaire qui seul
savait noblement suivre la marche grave et lumineuse des heures immaculées, se fait rare et dis-
paraît de nos jardins. On ne le rencontre plus guère
que dans la cour d'honneur, aux terrasses de pierre,
sur le mail, aux quinconces de quelque vieille ville,
de quelque vieux château, de quelque ancien palais,
où ses chiffres dorés, son disque et son style s'effacent sous la main du dieu même dont ils devaient
perpétuer le culte. Néanmoins, la Provence, certaines bourgades italiennes sont demeurées fidèles
à la céleste horloge. On y voit fréquemment s'épa-
nouir, au pignon ensoleillé de la bastide la plus allè-
grement délabrée, le cercle peint à la fresque où les
rayons mesurent soigneusement leur marche féerique.
Et des devises profondes ou naïves, mais toujours
significatives par la place qu'elles occupent et la
part qu'elles prennent à une énorme vie, s'effor-
cent de mêler l'âme humaine à d'incompréhensibles
phénomènes. « L'heure de la justice ne sonne pas
aux cadrans de ce monde », dit l'inscription solaire
de l'église de Tourette-sur-Loup, l'extraordinaire

petit village presque africain, voisin de ma demeure,
et qui semble, parmi l'éboulement des rocs et
l'escalade des agaves et des figuiers de barbarie,
une Tolède en miniature, réduite aux os par le soleil.
A lumine motus. « Je suis mue par la lumière »,
proclame fièrement une autre horloge rayonnante.
Amyddst ye flowres, I tell ye houres ! « Je compte
les heures parmi les fleurs », répète une antique
table de marbre au fond d'un vieux jardin. Mais
l'une des plus belles exergues est certes celle que
découvrit un jour aux environs de Venise, Hazlitt,
un essayiste anglais du commencement de l'autre
siècle : *Horas non numero nisi serenas.* « Je ne
compte que les heures claires ». « Quel sentiment
destructeur des soucis ! Toutes les ombres s'effacent au cadran quand le soleil se voile, et le temps
n'est plus qu'un grand vide, à moins que son progrès ne soit marqué par ce qui est joyeux, tandis
que tout ce qui n'est pas heureux descend dans l'oubli ! Et la belle parole qui nous apprend à ne
compter les heures que par leurs bienfaits, à n'attacher d'importance qu'aux sourires et à négliger les
rigueurs du destin, à composer notre existence des
moments brillants et amènes, nous tournant toujours vers le côté ensoleillé des choses et laissant
passer tout le reste à travers notre imagination
oublieuse ou inattentive ! »

* * *

La pendule, le sablier, la clepsydre perdue donnent des heures abstraites, sans forme et sans visage. Ce sont les instruments du temps anémié de nos chambres, du temps esclave et prisonnier ; mais le cadran solaire nous révèle l'ombre réelle et palpitante de l'aile du grand dieu qui plane dans l'azur. Autour du plateau de marbre qui orne la terrasse ou le carrefour des larges avenues et qui s'harmonise si bien aux escaliers majestueux, aux balustrades éployées, aux murailles de verdure des charmilles profondes, nous jouissons de la présence fugitive mais irrécusable des heures radieuses. Qui sut apprendre à les discerner dans l'espace, les verra tour à tour toucher terre et se pencher sur l'autel mystérieux pour faire un sacrifice au dieu que l'homme honore mais ne peut pas connaître. Il les verra s'avancer en robes diverses et changeantes, couronnées de fruits, de fleurs ou de rosée : d'abord celles encore diaphanes et à peine visibles de l'aube ; puis leurs sœurs de midi, ardentes, cruelles, resplendissantes, presque implacables, et enfin les dernières du crépuscule, lentes et somptueuses, que retarde, dans leur marche vers la nuit qui s'approche, l'ombre empourprée des arbres.

Seul il est digne de mesurer la splendeur des mois verts et dorés. De même que le bonheur profond, il ne parle point. Sur lui, le temps marche en silence, comme il passe en silence sur les sphères de l'es-

pace ; mais l'église du village voisin lui prête par
moment sa voix de bronze, et rien n'est harmonieux comme le son de la cloche qui s'accorde au
geste muet de son ombre marquant midi dans
l'océan d'azur. Il donne un centre et des noms successifs à la béatitude éparse et anonyme. Toute la
poésie, toutes les délices des environs, tous les mystères du firmament, toutes les pensées confuses de
la futaie qui garde la fraîcheur que lui confia la
nuit comme un trésor sacré, toute l'intensité bienheureuse et tremblante des champs de froment, des
plaines, des collines livrées sans défense à la dévo-
rante magnificence de la lumière, toute l'indolence
du ruisseau qui coule entre ses rives tendres, et le
sommeil de l'étang qui se couvre des gouttes de
sueur que forment les lentilles d'eau et la satisfaction de la maison qui ouvre en sa façade blanche ses
fenêtres avides d'aspirer l'horizon, et le parfum des
fleurs qui se hâtent de finir une journée de beauté
embrasée, et les oiseaux qui chantent selon l'ordre
des heures pour leur tresser des guirlandes d'allégresse dans le ciel, — tout cela, avec des milliers
de choses et des milliers de vies qui ne sont pas
visibles, se donne rendez-vous et prend conscience
de sa durée autour de ce miroir du temps où le
soleil, qui n'est qu'un des rouages de l'immense
machine qui subdivise en vain l'éternité, vient marquer d'un rayon complaisant le trajet que la terre
et tout ce qu'elle porte, accomplit chaque jour sur
la route des étoiles.

ÉLOGE DE LA BOXE

Il convient, parmi nos soucis intellectuels, de s'occuper parfois des aptitudes de notre corps et spécialement des exercices qui augmentent le plus sa force, son agilité et ses qualités de bel animal sain, redoutable et prêt à faire face à toutes les exigences de la vie.

Je me souviens, à ce propos, qu'en parlant naguère de l'épée, entraîné par mon sujet, je fus assez injuste envers la seule arme spécifique que la nature nous ait donnée : le poing. Je tiens à réparer cette injustice.

L'épée et le poing se complètent et peuvent faire, s'il est gracieux de s'exprimer ainsi, fort bon ménage ensemble. Mais l'épée n'est ou ne devrait être qu'une arme exceptionnelle, une sorte d'*ultima et sacra ratio*. Il n'y faudrait avoir recours qu'avec de solennelles précautions et un cérémonial équivalent à celui dont on entoure les procès qui peuvent aboutir à une condamnation à mort.

Au contraire, le poing est l'arme de tous les

jours, l'arme humaine par excellence, la seule qui
soit organiquement adaptée à la sensibilité, à la
résistance, à la structure offensive et défensive de
notre corps.

*
* *

En effet, à nous bien examiner, nous devons nous
ranger, sans vanité, parmi les êtres les moins proté-
gés, les plus nus, les plus fragiles, les plus friables et
les plus flasques de la création. Comparons-nous, par
exemple, avec les insectes, si formidablement outillés
pour l'attaque et si fantastiquement cuirassés !
Voyez, entre autres, la fourmi sur laquelle vous pouvez accumuler dix ou vingt mille fois le poids de son
corps sans qu'elle en paraisse incommodée. Voyez
le hanneton, le moins robuste des coléoptères, et
pesez ce qu'il peut porter avant que craquent les
anneaux de son ventre, avant que fléchisse le bou-
clier de ses élytres. Quant à la résistance de l'escar-
got, elle n'a pour ainsi dire pas de limites. Nous
sommes donc, par rapport à eux, nous et la plupart
des mammifères, des êtres non solidifiés, encore géla-
tineux et tout proches du protoplasme primitif.
Seul, notre squelette, qui est comme l'ébauche de
notre forme définitive, offre quelque consistance.
Mais qu'il est misérable, ce squelette que l'on dirait
construit par un enfant ! Considérez notre épine
dorsale, base de tout le système, dont les vertèbres

mal emboîtées ne tiennent que par miracle ; et
notre cage thoracique qui n'offre qu'une série de
porte-à-faux qu'on ose à peine toucher du bout des
doigts. Or, c'est contre cette molle et incohérente
machine qui semble un essai manqué de la nature,
c'est contre ce pauvre organisme d'où la vie tend à
s'échapper de toutes parts, que nous avons imaginé
des armes capables de nous anéantir même si nous
possédions la fabuleuse cuirasse, la prodigieuse force
et l'incroyable vitalité des insectes les plus indestruc-
tibles. Il y a là, il faut en convenir, une bien curieuse
et bien déconcertante aberration, une folie initiale,
propre à l'espèce humaine qui, loin de s'amender,
va croissant chaque jour. Pour rentrer dans la logique naturelle que suivent tous les autres êtres
vivants, s'il nous est permis d'user d'armes extraordinaires contre nos ennemis d'un ordre différent, nous
devrions, entre nous, hommes, ne nous servir que
des moyens d'attaque et de défense fournis par
notre propre corps. Dans une humanité qui
se conformerait strictement au vœu évident de la
nature, le poing, qui est à l'homme ce que la corne
est au taureau et au lion la griffe ou la dent, suffirait
à tous nos besoins de protection, de justice et de
vengeance. Sous peine de crime irrémissible contre
les lois essentielles de l'espèce, une race plus sage
interdirait tout autre mode de combat. Au bout de
quelques générations on parviendrait à répandre
ainsi et à mettre en vigueur une sorte de respect panique de vie humaine. Et quelle sélection prompte et

dans le sens exact des volontés de la nature amè-
nerait la pratique intensive du pugilat, où se concen-
treraient toutes les espérances de la gloire militaire !
Or la sélection est, après tout, la seule chose réellement importante dont nous ayons à nous préoccuper ; c'est le premier, le plus vaste et le plus éternel
de nos devoirs envers l'espèce.

En attendant, l'étude de la boxe nous donne d'ex-
cellentes leçons d'humilité et jette sur la déchéance
de quelques-uns de nos instincts les plus précieux une
lumière assez inquiétante. Nous nous apercevons bientôt qu'en tout ce qui concerne l'usage de nos membres, l'agilité, l'adresse, la force musculaire, la résistance à la douleur, nous sommes tombés au dernier
rang des mammifères ou des batraciens. A ce point
de vue, dans une hiérarchie bien comprise, nous
aurions droit à une modeste place entre la grenouille
et le mouton. Le coup de pied du cheval de même que
le coup de corne du taureau ou le coup de dent du
chien sont mécaniquement et anatomiquement
imperfectibles. Il serait impossible d'améliorer, par
les plus savantes leçons, l'usage instinctif de leurs
armes naturelles. Mais nous, les « hominiens »,
les plus orgueilleux des primates, nous ne savons
pas donner un coup de poing ! Nous ne savons même
pas quelle est au juste l'arme de notre espèce !

Avant qu'un maître ne nous l'ait laborieusement et
méthodiquement enseignée, nous ignorons totalement
la manière de mettre en œuvre et de concentrer dans
notre bras la force relativement énorme qui réside
dans notre épaule et dans notre bassin. Regardez
deux charretiers, deux paysans qui en viennent aux
mains : rien n'est plus pitoyable. Après une copieuse
et dilatoire bordée d'injures et de menaces, ils se
saisissent à la gorge et aux cheveux, jouent des
pieds, du genou, au hasard, se mordent, s'égratignent,
s'empêtrent dans leur rage immobile, n'osent pas
lâcher prise, et si l'un d'eux parvient à dégager un
bras, il en porte, à l'aveuglette et le plus souvent
dans le vide, de petits coups précipités, étriqués,
bredouillés ; et le combat ne finirait jamais si le cou-
teau félon, évoqué par la honte du spectacle incon-
gru, ne surgissait soudain, presque spontanément,
de l'une ou l'autre poche.

Contemplez d'autre part deux boxeurs : pas de
mots inutiles, pas de tâtonnements, pas de colère ; le
calme de deux certitudes qui savent ce qu'il faut
faire. L'attitude athlétique de la garde, l'une des
plus belles du corps viril, met logiquement en valeur
tous les muscles de l'organisme. Aucune parcelle de
force qui de la tête aux pieds puisse encore s'éga-
rer. Chacune d'elles a son pôle dans l'un ou l'autre
des deux poings massifs surchargés d'énergie. Et
quelle noble simplicité dans l'attaque ! Trois coups,
sans plus, fruits d'une expérience séculaire, épuisent mathématiquement les mille possibilités inuti-

les où s'aventurent les profanes. Trois coups syn-
thétiques, irrésistibles, imperfectibles. Dès que l'un
d'eux atteint franchement l'adversaire, la lutte est
terminée à la satisfaction complète du vainqueur qui
triomphe si incontestablement qu'il n'a nul désir
d'abuser de sa victoire, et sans dangereux dommage
pour le vaincu simplement réduit à l'impuissance et
à l'inconscience durant le temps nécessaire pour que
toute rancune s'évapore. Bientôt après, ce vaincu
se relèvera, sans avarie durable, parce que la résistance de ses os et de ses organes est strictement
et naturellement proportionnée à la puissance de
l'arme humaine qui l'a frappé et terrassé.

*
* *

Il peut sembler paradoxal, mais il est facile de
constater que l'art de la boxe, là où il est généralement pratiqué et cultivé, devient un gage de paix
et de mansuétude. Notre nervosité agressive, notre
susceptibilité aux aguets, la sorte de perpétuel qui-
vive où s'agite notre vanité soupçonneuse, tout cela
vient, au fond, du sentiment de notre impuissance
et de notre infériorité physique qui peine de son
mieux à en imposer, par un masque fier et irritable,
aux hommes souvent grossiers, injustes et malveil-
lants qui nous entourent. Plus nous nous sentons
désarmé en face de l'offense, plus nous tourmente le
désir de témoigner aux autres et de nous persuader à

nous-mêmes que nul ne nous offense impunément.
Le courage est d'autant plus chatouilleux, d'autant
plus intraitable que l'instinct effrayé, tapi au fond
du corps qui recevra les coups, se demande avec plus
d'anxiété comment finira l'algarade. Que fera-t-il,
ce pauvre instinct prudent, si la crise tourne mal ?
C'est sur lui que l'on compte, à l'heure du péril.
A lui sont dévolus le souci de l'attaque, le soin de la
défense. Mais on l'a si souvent, dans la vie quotidienne, éloigné des affaires et du conseil suprême,
qu'à l'appel de son nom il sort de sa retraite comme
un captif vieilli qu'éblouirait soudain la lumière du
jour. Quel parti prendra-t-il ? Où faudra-t-il frapper,
aux yeux, au ventre, au nez, aux tempes, à la gorge ?
Et quelle arme choisir, le pied, la dent, la main, le
coude ou les ongles ? Il ne sait plus ; il erre dans sa
pauvre demeure qu'on va détériorer, et durant qu'il
s'affole et les tire par la manche, le courage, l'orgueil, la vanité, la fierté, l'amour-propre, tous les
grands seigneurs magnifiques, mais irresponsables,
enveniment la querelle récalcitrante, qui aboutit
enfin, après d'innombrables et grotesques détours, à
l'inhabile échange de horions criards, aveugles,
hybrides et pleurards, piteux et puérils et indéfiniment impuissants.

Au contraire, celui qui connaît la source de justice
qu'il détient en ses deux mains fermées n'a rien à se
persuader. Une fois pour toutes il sait. La longani-
mité, comme une fleur paisible, émane de sa victoire
idéale mais certaine. La plus grossière insulte ne peut

plus altérer son sourire indulgent. Il attend, pacifique, les premières violences, et peut dire avec
calme à tout ce qui l'offense : « Vous irez jusque-là ».
Un seul geste magique, au moment nécessaire,
arrête l'insolence. A quoi bon faire ce geste ? On
n'y songe même plus tant l'efficace est sûre. Et c'est
avec la honte de frapper un enfant sans défense,
qu'à la dernière extrémité on se résout enfin à lever
contre la plus puissante brute, une main souveraine
qui regrette d'avance sa victoire trop facile.

LES DIEUX DE LA GUERRE

La guerre offrit toujours aux méditations des hommes un thème magnifique et incessamment renouvelé. Il demeure, hélas ! bien certain que la plupart de nos efforts et de nos inventions convergent toujours vers elle et en font une sorte de miroir diabolique où se reflète, à l'envers et en creux, le progrès de notre civilisation.

Je ne veux aujourd'hui l'envisager qu'à un seul point de vue, afin de constater une fois de plus qu'à mesure que nous conquérons quelque chose sur les forces inconnues, nous nous livrons davantage à celles-ci. Dès que nous avons saisi dans la nuit ou le sommeil apparent de la nature une lueur, une source d'énergie nouvelles, nous devenons souvent ses victimes et presque toujours ses esclaves. On dirait qu'en croyant nous délivrer, nous délivrons de redoutables ennemis. Il est vrai qu'à la longue ces ennemis finissent pas se laisser conduire et nous rendent des services dont nous ne saurions plus

nous passer. Mais à peine l'un d'eux a-t-il fait
sa soumission, qu'en passant sous le joug il nous met
sur la trace d'un adversaire infiniment plus dangereux, et notre sort devient ainsi de plus en plus glorieux et de plus en plus incertain. Parmi ces adversaires, il s'en trouve d'ailleurs qui semblent tout à
fait indomptables. Mais peut-être ne demeurent-
ils rebelles que parce qu'ils savent mieux que les
autres faire appel à de mauvais instincts de notre
cœur, qui retardent de plusieurs siècles sur les con-
quêtes de notre intelligence.

Il en va notamment ainsi dans la plupart des
inventions qui se rapportent à la guerre. Nous
l'avons vu en de récents et monstrueux conflits.
Pour la première fois, depuis l'origine de l'histoire, des
puissances entièrement nouvelles, des puissances
enfin mûres et dégagées de l'ombre de séculaires
expériences préparatoires, vinrent supplanter les
hommes sur le champ de bataille. Jusqu'en ces dernières guerres, elles n'étaient descendues qu'à mi-
côte, se tenaient à l'écart et agissaient de loin. Elles
hésitaient à s'affirmer, et il y avait encore quelque
rapport entre leur action insolite et celle de nos
propres mains. La portée du fusil ne dépassait pas
celle de notre œil, et l'énergie destructive du canon
le plus meurtrier, de l'explosif le plus redoutable,

gardait des proportions humaines. Aujourd'hui, nous sommes débordés, nous avons définitivement abdiqué, notre règne est fini, et nous voilà livrés, comme des grains de sable, aux monstrueuses et énigmatiques puissances que nous avons osé appeler à notre aide.

**

Il est vrai que, de tout temps, la part humaine des combats fut la moins importante et la moins décisive. Déjà, aux jours d'Homère, les divinités de l'Olympe se mêlaient aux mortels dans les plaines de Troie et, presque invisibles mais actives dans leur nuée d'argent, dominaient, protégeaient ou épouvantaient les guerriers. Mais c'étaient des divinités encore peu puissantes et peu mystérieuses. Si leur intervention paraissait surhumaine elle reflétait la forme et la psychologie de l'homme. Leurs secrets se mouvaient dans l'orbite de nos secrets étroits. Ils émanaient du ciel de notre intelligence, ils avaient nos passions, nos misères, nos pensées, à peine un peu plus justes, plus hautes et plus pures. Puis, à mesure que l'homme s'avance dans le temps, qu'il sort de l'illusion, que sa conscience augmente, que le monde se dévoile, les dieux qui l'accompagnent grandissent mais s'éloignent, deviennent moins distincts mais plus irrésistibles. A mesure qu'il apprend, à mesure qu'il connaît, le flot de l'inconnu envahit son domaine.

A proportion que les armées s'organisent et s'étendent, que les armes se perfectionnent, que la science
progresse et asservit des forces naturelles, le sort de la
bataille échappe au capitaine pour obéir au groupe
des lois indéchiffrables qu'on appelle la chance, le
hasard, le destin. Voyez, par exemple, dans Tolstoï,
l'admirable tableau, qu'on sent authentique, de la
bataille de Borodino ou de la Moskova, type de l'une
des grandes batailles de l'Empire. Les deux chefs,
Koutouzof et Napoléon, se tiennent à une telle
distance du combat, qu'ils n'en peuvent saisir que
d'insignifiants épisodes et ignorent presque tout ce
qui s'y passe. Koutousof, en bon fataliste slave, a
conscience de la « force des choses ». Enorme, borgne, somnolent, écroulé devant une cabane, sur un
banc recouvert d'un tapis, il attend l'issue de l'aventure, ne donne aucun ordre, se contentant de consen-
tir ou non à ce qu'on lui propose. Mais Napoléon,
lui, se flatte de diriger des événements qu'il n'entrevoit même pas. La veille, au soir, il a dicté les
dispositions de la bataille ; or, dès les premiers enga-
gements, par cette même « force des choses » à
laquelle se livre Koutouzof, pas une seule de ces dispositions n'est ni ne peut être exécutée. Néanmoins,
fidèle au plan imaginaire que la réalité a complètement bouleversé, il croit donner des ordres et ne
fait que suivre, en arrivant trop tard, les décisions
de la chance qui précèdent partout ses aides de camp
hagards et affolés. Et la bataille suit son chemin
tracé par la nature, comme un fleuve qui coule sans

se soucier du cri des hommes rassemblés sur ses
rives.

❀

Pourtant Napoléon, de tous les généraux de nos
dernières guerres, est le seul qui maintienne l'apparence d'une direction humaine. Les forces étrangères
qui secondaient ses troupes et qui déjà les dominaient
sortaient à peine de l'enfance. Mais aujourd'hui que
ferait-il ? Parviendrait-il à ressaisir la centième part
de l'influence qu'il avait sur le sort des batailles ?
C'est qu'à présent les enfants du mystère ont grandi,
et ce sont d'autres dieux qui surplombent nos rangs,
poussent et dispersent nos escadrons, rompent nos
lignes, font chanceler nos citadelles et couler nos
vaisseaux. Ils n'ont plus forme humaine, ils émer-
gent du chaos primitif, ils viennent de bien plus loin
que leurs prédécesseurs, et toute leur puissance,
leurs lois, leurs intentions se trouvent hors du cercle
de notre propre vie et de l'autre côté de notre sphère
intelligente, dans un monde absolument fermé, le
monde le plus hostile aux destinées de notre espèce,
le monde informe et brut de la matière inerte. Or,
c'est à ces inconnus aveugles et effroyables, qui n'ont
rien de commun avec nous, qui obéissent à des im-
pulsions et à des ordres aussi ignorés que ceux qui
régissent les astres les plus fabuleusement éloignés,
c'est à ces impénétrables et irrésistibles énergies

que nous remettons le soin de trancher ce qui est
le plus proprement, le plus exclusivement réservé
aux plus hautes facultés de la forme de vie que nous
représentons seuls sur cette terre ; c'est à ces monstres inclassables que nous confions la charge presque divine de prolonger notre raison et de faire le
départ du juste et de l'injuste...

A quelles puissances avons-nous donc livré nos
privilèges spécifiques ? — Je fais parfois ce rêve que
l'un de nous soit doué d'un œil qui saisisse tout ce
qui évolue autour de nous, tout ce qui peuple ces
clartés où flottent nos regards et que nous croyons
transparentes et vides, comme l'aveugle — si d'autres sens ne le détrompaient point — croirait vides
les ténèbres qui enserrent son front. Imaginons qu'il
perce le tain de cette sphère de cristal où nous vivons
et qui ne réfléchit jamais que notre propre face,
nos propres gestes et nos propres pensées. Imaginons
qu'un jour, à travers toutes les apparences qui nous
emprisonnent, nous atteignions enfin les réalités
essentielles, et que l'invisible qui de toutes parts
nous enveloppe, nous abat, nous redresse, nous
pousse, nous arrête ou nous fait reculer, dévoile subitement les images immenses, affreuses, inconcevables
que revêtent sûrement, dans un creux de l'espace,
les phénomènes et les lois de la nature dont nous

sommes les fragiles jouets. Ne disons pas que ce n'est
là qu'un songe de poète ; c'est maintenant, en nous
persuadant que ces lois n'ont ni forme ni visage et en
oubliant si facilement leur toute-puissante et infatigable présence, c'est maintenant que nous sommes
dans le songe, dans le tout petit songe de l'illusion
humaine ; et c'est alors que nous entrerions dans la
vérité éternelle de la vie sans limites où baigne notre
vie. Quel spectacle écrasant et quelle révélation qui
frapperait d'effroi et paralyserait au fond de son
néant toute énergie humaine ! Voyez-vous, par exemple, entre tant d'autres triomphes illusoires de notre
aveuglement, voyez-vous ces deux flottes qui se
préparent au combat ?— Quelques milliers d'hommes, aussi imperceptibles et inefficaces sur la réalité
des forces mises en jeu qu'une pincée de fourmis
dans une forêt vierge, quelques milliers d'hommes
se flattent d'asservir et d'utiliser, au profit d'une
idée étrangère à l'univers, les plus incommensura-
bles et les plus dangereuses de ses lois. Essayez de
donner à chacune de ces lois un aspect ou une
physionomie proportionnée et appropriée à sa puissance et à ses fonctions. Pour ne pas vous heurter
dès l'abord à l'impossible, à l'inimaginable, négli-
gez, si vous en avez peur, les plus profondes et les
plus grandioses, entre autres celles de la gravitation,
à laquelle obéissent les vaisseaux et la mer qui les
porte, et la terre qui porte la mer, et toutes les pla-
nètes qui soutiennent la terre. Il vous faudrait
chercher si loin, dans de telles solitudes, dans de

tels infinis, par delà de tels astres, les éléments qui
la composent, que l'univers entier ne suffirait pas à
lui prêter un masque, ni aucun rêve à lui donner une
apparence plausible.

***

Ne prenons donc que les plus limitées, s'il en est
qui connaissent des limites, les plus proches de nous,
s'il en est qui soient proches. Bornons-nous pour
l'instant à celles que ces vaisseaux croient soumises
en leurs flancs, à celles que nous croyons spécialement dociles et filles de nos œuvres. Quelle mons-
trueuse face, quelle ombre gigantesque attribuerons-
nous, pour ne parler que d'elle, à la puissance des
explosifs, dieux récents et suprêmes, qui viennent
de détrôner, aux temples de la guerre, tous les dieux
d'autrefois ? D'où, de quelles profondeurs, de
quels abîmes insondés surgissent-ils, ces démons
qui jusqu'ici n'avaient jamais atteint la lumière
du jour ? A quelle famille de terreurs, à quel groupe
imprévu de mystères faut-il les rattacher ? —
Mélinite, dynamite, panclastite, cordite et roburite,
lyddite et balistite, spectres indescriptibles, à côté
desquels la vieille poudre noire, épouvante de nos
pères, la grande foudre même, qui résumait pour
nous le geste le plus tragique de la colère divine,
semblent des bonnes femmes un peu bavardes,
un peu promptes à la gifle, mais presque inoffen-

sives et presque maternelles ! Personne n'a effleuré
le plus superficiel de vos innombrables secrets, et
le chimiste qui compose votre sommeil, aussi profondément que l'ingénieur ou l'artilleur qui vous
réveille, ignore votre nature, votre origine, votre
âme, les ressorts de vos élans incalculables et les
lois éternelles auxquelles vous obéissez tout à coup.
Etes-vous la révolte des choses immémorialement
prisonnières ? la transfiguration fulgurante de la
mort, l'effroyable allégresse du néant qui tressaille,
l'éruption de la haine ou l'excès de la joie ? Etes-
vous une forme de vie nouvelle et si ardente qu'elle
consume en une seconde la patience de vingt
siècles ? Etes-vous un éclat de l'énigme des mondes
qui trouve une fissure dans les lois de silence qui
l'enserrent ? Etes-vous un emprunt téméraire à
la réserve d'énergie qui soutient notre terre dans
l'espace ? Ramassez-vous en un clin d'œil, pour un
bond sans égal vers un destin nouveau, tout ce qui
se prépare, tout ce qui s'élabore, tout ce qui s'accumule dans le secret des rocs, des mers et des
montagnes ? Etes-vous âme ou matière ou un troisième état encore innommé de la vie ? Où puisez-
vous l'ardeur de vos dévastations, où appuyez-
vous le levier qui fend un continent et d'où part
votre élan qui pourrait dépasser la zone des étoiles
où la terre votre mère exerce sa volonté ? A toutes
ces questions, le savant qui vous crée répondra
simplement que « votre force vient de la production
brusque d'un grand volume gazeux dans un espace

trop étroit pour le contenir sous la pression atmos-
phérique ». Il est certain que cela répond à tout,
que tout est éclairci. Nous voyons là le fond du vrai,
et nous savons dès lors, comme en toutes choses, à
quoi nous en tenir.

L'IMMORTALITÉ

(I)

En cette ère nouvelle où nous entrons et où les religions ne répondent plus aux grandes questions de l'humanité, un des problèmes sur quoi l'on s'interroge avec le plus d'inquiétude est celui de la vie d'outre-tombe. Tout finit-il à la mort ? Y a-t-il une survie imaginable ? Où allons-nous, que devenons-nous? Qu'est-ce qui nous attend de l'autre côté de l'illusion fragile qu'on appelle l'existence ? A la minute où s'arrête notre cœur, est-ce la matière ou l'esprit qui triomphe, la lumière éternelle ou les ténèbres sans fin qui commencent ?

Comme tout ce qui existe, nous sommes impérissables. Nous ne pouvons concevoir que quelque chose se perde dans l'univers. A côté de l'infini, il est impossible d'imaginer un néant où un atome de matière puisse tomber et s'anéantir. Tout ce qui est sera éternellement, tout est, et il n'est rien qui ne soit point. Sinon, il faudrait croire que notre cerveau n'a rien de commun avec l'univers qu'il s'efforce de concevoir. Il faudrait même se dire qu'il fonctionne au rebours de celui-ci, ce qui n'est guère probable, puisqu'après tout, il n'en peut-être qu'une sorte de reflet.

Ce qui semble périr ou du moins disparaître et se succéder, c'est les formes et les modes sous lesquels nous percevons la matière impérissable ; mais nous ignorons à quelles réalités répondent ces apparences. Elles sont le tissu du bandeau qui, posé sur nos yeux, donne à ceux-ci, sous la pression qui les aveugle, toutes les images de notre vie. Ce bandeau enlevé, que reste-t-il ? Entrons-nous dans la réalité qui existe indubitablement par delà ; ou bien les apparences même cessent-elles pour nous d'exister ?...

(II)

Que le néant soit impossible, qu'après notre mort tout subsiste en soi et que rien ne périsse : voilà qui ne nous intéresse guère. Le seul point qui nous touche, en cette persistance éternelle, c'est le sort de cette petite partie de notre vie qui percevait les phénomènes durant notre existence. Nous l'appelons notre conscience ou notre moi. Ce moi, tel que nous le concevons quand nous réfléchissons aux suites de sa destruction, n'est ni notre esprit ni notre corps, puisque nous reconnaissons qu'ils sont l'un et l'autre des flots qui s'écoulent et se renouvellent sans cesse. Est-ce un point immuable qui ne saurait être la forme ni la substance, toujours

en évolution, ni la vie, cause ou effet de la forme
et de la substance ? En vérité, il nous est impossible de le saisir ou de le définir, de dire où il réside.
Lorsqu'on veut remonter jusqu'à sa dernière source,
on ne trouve guère qu'une suite de souvenirs, une
série d'idées d'ailleurs confuses et variables, se rat-
tachant au même instinct de vivre ; une série d'habitudes de notre sensibilité et de réactions conscientes
ou inconscientes contre les phénomènes environ-
nants. En somme, le point le plus fixe de cette nébu-
leuse est notre mémoire, qui semble d'autre part
une faculté assez extérieure, assez accessoire, en
tout cas une des plus fragiles de notre cerveau,
une de celles qui disparaissent le plus promptement au moindre trouble de notre santé. « Cela
même, a dit très justement un poète anglais, qui
demande à grands cris l'éternité, est ce qui périra
en moi. »

(III)

Il n'importe ; ce moi, si incertain, si insaisissable, si fugitif et si précaire, est tellement le centre
de notre être, nous intéresse si exclusivement, que
toutes les réalités de notre vie s'effacent devant ce
fantôme. Il nous est absolument indifférent que
durant l'éternité, notre corps ou sa substance,
connaisse tous les bonheurs et toutes les gloires,
subisse les transformations les plus magnifiques

et les plus délicieuses, devienne fleur, parfum, beauté, lumière, éther, étoile ; il nous est parfaitement indifférent que notre intelligence s'épanouisse jusqu'à se mêler à la vie des mondes, à la comprendre et à la dominer. Notre instinct est persuadé que tout cela ne nous touchera pas, ne nous fera aucun plaisir, ne nous arrivera pas à nous-mêmes, à moins que cette mémoire de quelques faits, presque toujours insignifiants, ne nous accompagne et ne soit témoin de ces bonheurs inimaginables. Il m'est égal que les parties les plus hautes, les plus libres, les plus belles de mon esprit soient éternellement vivantes et lumineuses dans les suprêmes allégresses ; elles ne sont plus à moi, je ne les connais plus. La mort a tranché le réseau de nerfs ou de souvenirs qui les rattachait à je ne sais quel centre où se trouve le point que je sens être tout moi-même. Déliées ainsi et flottant dans l'espace et le temps, leur sort m'est aussi étranger que celui des plus lointaines étoiles. Tout ce qui advient n'existe pour moi qu'à la condition que je puisse le ramener à cet être mystérieux, qui est je ne sais où et précisément nulle part ; que je promène comme un miroir par ce monde dont les phénomènes ne prennent corps qu'autant qu'ils s'y sont reflétés.

(IV)

Ainsi, notre désir d'immortalité se détruit

en se formulant, attendu que c'est sur une des parties accessoires et des plus fugaces de notre vie totale, que nous fondons tout l'intérêt de notre survie. Il nous semble que si notre existence ne se continue pas avec la plupart des misères, des petitesses et des défauts qui la caractérisent, rien ne la distinguera de celle des autres êtres ; qu'elle deviendra une goutte d'ignorance dans l'océan de l'inconnu, et que dès lors, tout ce qui s'ensuivra ne nous regarde plus.

Quelle immortalité peut-on promettre aux hommes qui presque nécessairement la conçoivent ainsi ? Qu'y faire ? nous dit un instinct puéril mais profond. Toute immortalité qui ne traîne pas à travers l'éternité, comme le boulet du forçat que nous fûmes, cette bizarre conscience formée durant quelques années de mouvement, toute immortalité qui ne porte pas ce signe indélébile de notre identité, est pour nous comme si elle n'était point. La plupart des religions l'ont bien compris, qui ont tenu compte de cet instinct qui désire et détruit en même temps la survie. C'est ainsi que l'église catholique, remontant jusqu'aux espérances les plus primitives nous garantit non seulement le maintien intégral de notre moi terrestre, mais même la résurrection dans notre propre chair.

Voilà le centre de l'énigme. Cette petite conscience, ce sentiment d'un moi spécial, presque enfantin et en tout cas extraordinairement borné, infirmité probable de notre intelligence actuelle, exiger qu'il nous accompagne dans l'infini des temps pour que nous comprenions celui-ci, que nous en jouissions, n'est-ce pas vouloir percevoir un objet à l'aide d'un organe qui n'est pas destiné à le percevoir ? N'est-ce pas demander que notre main découvre la lumière ou que notre œil soit sensible aux parfums ? N'est-ce pas, d'autre part, agir comme un malade qui, pour se retrouver, être sûr qu'il est bien lui-même, croirait qu'il est nécessaire de continuer sa maladie dans la santé et dans la suite illimitée des jours ? La comparaison est d'ailleurs plus exacte que ne l'est d'habitude une comparaison. Représentez-vous un aveugle en même temps paralytique et sourd. Il est en cet état depuis sa naissance et vient d'atteindre sa trentième année. Qu'auront brodé les heures sur le tissu sans images de cette pauvre vie ? Le malheureux doit avoir recueilli au fond de sa mémoire, à défaut d'autres souvenirs, quelques chétives sensations de chaud et de froid, de fatigue et de repos, de douleurs physiques plus ou moins vives, de soif et de faim. Il est probable que toutes les joies humaines, toutes les espérances et tous les songes de l'idéal et de nos paradis, se réduiront pour lui au bien-être confus qui suit l'apaisement d'une douleur. Voilà donc la seule armature possible de cette conscience et de ce moi. L'intelligence n'ayant jamais été sollicitée du dehors, dormira profondément en s'ignorant elle-même. Néanmoins, le misérable aura sa petite vie à quoi il tiendra par des liens aussi étroits, aussi ardents que

le plus heureux des hommes. Il redoutera la mort ;
et l'idée d'entrer dans l'éternité sans y emporter les
émotions et les souvenirs de son grabat, de ses
ténèbres et de son silence, le plongera dans le désespoir où nous plonge la pensée d'abandonner pour les
glaces et la nuit de la tombe une vie de gloire,
de lumière et d'amour.

(V)

Supposons qu'un miracle anime tout à coup ses
yeux et ses oreilles, lui révèle, par la fenêtre ouverte
au chevet de son lit, l'aurore sur la campagne, le
chant des oiseaux dans les arbres, le murmure du
vent dans les feuilles et de l'eau sur les rives, l'appel
transparent des voix humaines parmi les collines
matinales. Supposons encore que le même miracle,
achevant son œuvre, lui donne l'usage de ses membres. Il se lève, il tend les bras à ce prodige qui pour
lui n'a pas encore de vraisemblance ni de nom : la
lumière ! Il ouvre la porte, chancelle parmi les
éblouissements et tout son corps se fond en toutes
ces merveilles. Il entre dans une vie indicible, dans
un ciel qu'aucun rêve n'avait su pressentir ; et, par
un caprice fort admissible en ces sortes de guérisons,
la santé en l'introduisant dans cette existence incon-
cevable et inintelligible, efface en lui tout souvenir
des jours passés.

Quel sera l'état de ce moi, de ce foyer central,

réceptacle de toutes nos sensations, lieu où converge tout ce qui appartient en propre à notre vie, point suprême, point « égotique » de notre être, si l'on peut hasarder ce néologisme ? La mémoire abolie, retrouvera-t-il en lui quelques traces de l'homme antérieur ? Une force nouvelle, l'intelligence, s'éveillant et déployant soudain une activité inouïe, quel rapport cette intelligence gardera-t-elle avec le germe inerte et sombre d'où elle s'est élevée? A quels angles de son passé se raccrochera-t-il pour se continuer? Et cependant, ne subsistera-t-il pas en lui quelque sentiment ou quelque instinct, indépendant de la mémoire, de l'intelligence et de je ne sais quelles autres facultés, qui lui fera reconnaître que c'est bien en lui que vient d'éclater le miracle libérateur, que c'est bien sa vie et non celle de son voisin, transformée, méconnaissable, mais substantiellement identique qui, sortie des ténèbres et du silence, se prolonge dans la lumière et l'harmonie ? Pouvons-nous imaginer le désarroi, les flux et reflux de cette conscience affolée ? Savons-nous de quelle façon le moi d'hier s'unira au moi d'aujourd'hui, et comment le point « égotique », le point sensible de la personnalité, le seul que nous tenions à conserver intact, se comportera dans ces délires et ces bouleversements ?

Essayons d'abord de répondre avec une précision suffisante à cette question qui est du domaine de notre vie actuelle et visible ; et si nous ne pouvons le faire, comment espérer de résoudre l'autre

problème qui se dresse devant tout homme à
l'instant de la mort ?

(VI)

Ce point sensible où se résume tout le problème,
car il est le seul en question, et à la réserve de ce
qui le concerne, l'immortalité est certaine, ce point
mystérieux auquel, en présence de la mort, nous
attachons un tel prix, il est assez étrange que nous
le perdions à tout moment dans la vie sans éprouver la moindre inquiétude. Non seulement chaque
nuit il s'anéantit dans notre sommeil, mais même à
l'état de veille, il est à la merci d'une foule d'accidents. Une blessure, un choc, une indisposition, quelques verres d'alcool, un peu d'opium, un peu de
fumée suffit à l'effacer. Même quand rien ne l'altère,
il n'est pas constamment sensible. Il faut souvent un
effort, un retour sur nous-mêmes pour le ressaisir,
pour prendre conscience que tel ou tel événement
nous advient. A la moindre distraction, un bonheur
passe à côté de nous, sans nous toucher, sans nous
livrer le plaisir qu'il renferme. On dirait que les
fonctions de cet organe par quoi nous goûtons la
vie et la rapportons à nous-mêmes, sont intermit-
tentes, et que la présence de notre moi, excepté dans
la douleur, n'est qu'une suite rapide et perpétuelle
de départs et de retours. Ce qui nous tranquillise,
c'est qu'au réveil, après la blessure, le choc, la dis-

traction, nous nous croyons sûrs de le retrouver intact, au lieu que nous nous persuadons, tant nous le sentons fragile, qu'il doit à jamais disparaître dans l'effroyable secousse qui sépare la vie de la mort.

(VII)

Une première vérité, en en attendant d'autres que l'avenir dévoilera sans doute, c'est qu'en ces questions de vie et de mort, notre imagination est demeurée bien enfantine. Presque partout ailleurs, elle précède la raison ; mais ici elle s'attarde encore aux jeux des premiers âges. Elle s'entoure des rêves et des désirs barbares dont elle berçait les craintes et les espérances de l'homme des cavernes. Elle demande des choses impossibles, parce qu'elles sont trop petites. Elle réclame des privilèges qui, obtenus, seraient plus redoutables que les plus énormes désastres dont nous menace le néant. Pouvons-nous penser sans frémir à une éternité enfermée tout entière en notre infime conscience actuelle ? Et voyez comme en tout ceci nous obéissons aux caprices illogiques de celle qu'on appelait autrefois la « folle du logis ». Qui de nous, s'il s'endormait ce soir, avec la certitude scientifique et expérimentale de se réveiller dans cent ans, tel qu'il est aujourd'hui et dans son corps intact, même à la condition de perdre tout souvenir de sa vie antérieure (ces sou-

venirs ne seraient-ils pas inutiles ?), qui de nous
n'accueillerait ce sommeil séculaire avec la même
confiance que le doux et bref sommeil de chaque
nuit ? Loin de la redouter, beaucoup n'accourraient-
ils pas à cette épreuve avec une curiosité empres-
sée ? Ne verrait-on pas bien des hommes assaillir
de leurs prières le dispensateur du sommeil féerique
et implorer comme une grâce ce qu'ils croiraient un
miraculeux prolongement de leur vie ? Pourtant,
durant ce sommeil, que resterait-il, et à leur réveil,
que retrouveraient-ils d'eux-mêmes ? Quel lien,
au moment où il ferment les yeux les rattacherait à
l'être qui doit se réveiller sans souvenirs, inconnu,
dans un monde nouveau ? Néanmoins, leur consen-
tement et toutes leurs espérances à l'entrée de la
longue nuit, dépendraient de ce lien qui n'existerait
pas. Il n'y a, en effet, entre la mort véritable et ce
sommeil, que la différence de ce réveil retardé d'un
siècle, réveil aussi étranger à celui qui s'était endormi que le serait la naissance d'un enfant posthume.

(VIII)

D'autre part, comment répondons-nous à la
question quand il ne s'agit plus de nous, mais de ce
qui respire avec nous sur la terre ? Avons-nous souci,
par exemple, de la survie des animaux. Le chien,
le plus fidèle, le plus affectueux, le plus intelligent,
dès qu'il est mort, n'est plus qu'un répugnant

débris dont nous nous débarrassons au plus vite.
Il ne nous paraît même pas possible de nous demander si quelque chose de la vie déjà spirituelle
que nous avons aimée en lui subsiste ailleurs
qu'en notre souvenir, et s'il existe un autre monde
pour les chiens. Il nous semblerait assez ridicule
que le temps et l'espace conservassent précieu-
sement, durant l'éternité, parmi les astres et dans
les palais sans bornes de l'éther, l'âme d'un pauvre
animal, faite de cinq ou six habitudes touchantes
mais bien naïves, et du désir de boire, de manger,
de dormir au chaud et de saluer ses pareils de la manière que l'on sait. Que resterait-il d'ailleurs de
cette âme formée tout entière de quelques besoins
d'un corps rudimentaire, lorsque ce corps ne
serait plus ? Mais de quel droit imaginons-nous,
entre nous et l'animal, un abîme qui n'existe
même pas du minéral au végétal, du végétal à l'animal ? C'est ce droit à nous croire si loin, si différent de tout ce qui vit sur la terre ; c'est cette
prétention à nous mettre dans une catégoire et dans
un règne où les dieux mêmes que nous avons créés
n'auraient pas toujours accès, qu'il faudrait examiner tout d'abord.

(IX)

On ne saurait exposer tous les paralogismes de
notre imagination sur le point qui nous occupe. Ainsi

nous nous résignons assez facilement à la dissolution
de notre corps dans le tombeau. Nous ne tenons nullement à ce qu'il nous accompagne dans l'infini des
temps. A y réfléchir, nous serions même chagriné
qu'il nous y escortât avec ses inévitables misères,
ses tares, ses laideurs et ses ridicules. Ce que nous
entendons y conduire, c'est notre âme. Mais que
répondrons-nous à qui nous demande s'il est possible
de concevoir que cette âme soit autre chose que
l'ensemble de nos facultés intellectuelles et morales, jointes, si l'on veut, pour faire pleine mesure,
à toutes celles qui ressortissent à l'instinct, à l'inconscient, au subconscient ? Or, lorsqu'aux approches de la vieillesse, nous voyons s'affaiblir, soit en
nous, soit dans les autres, ces mêmes facultés, nous
ne nous inquiétons, nous ne nous désespérons pas
plus que nous ne nous inquiétons ou désespérons
quand il s'agit de la lente décadence des forces cor-
porelles. Nous gardons intact notre espoir confus de
survie. Il nous semble tout naturel que l'état des
unes dépende de l'état des autres. Lors même que
les premières sont complètement abolies dans un
être que nous aimons, nous ne croyons pas l'avoir
perdu, ni qu'il ait, lui, perdu son moi, sa personnalité morale, dont cependant rien ne subsiste. Nous
ne pleurerions pas sa perte, nous ne croirions pas
qu'il n'est plus, si la mort conservait ces facultés
dans leur état d'anéantissement. Mais si nous n'attachons pas une importance capitale à la dissolution de notre corps dans la tombe, ni à la dissolution

de nos facultés intellectuelles durant la vie, que demandons-nous à la mort d'épargner ; et de quel rêve irréalisable exigeons-nous la réalisation ?

(X)

En vérité, nous ne pouvons, du moins pour l'instant, imaginer une réponse acceptable à la question de l'immortalité. Pourquoi s'en étonner ? Voici ma lampe sur ma table. Elle ne renferme aucun mystère ; c'est l'objet le plus ancien, le plus connu et le plus familier de la maison. J'y vois de l'huile, une mèche, une cheminée de verre ; et tout cela forme de la lumière. L'énigme ne commence qu'au moment où je me demande ce qu'est cette lumière, d'où elle vient quand je l'appelle, où elle va quand je l'éteins. Et tout de suite, autour de ce petit objet que je soulève, que je démonte et que je pourrais avoir façonné de mes mains, l'énigme est insondable. Assemblez autour de ma table tous les hommes qui vivent sur cette terre, pas un seul ne pourra nous dire ce qu'est en soi cette flamme légère qu'à mon gré je fais naître ou mourir. Et si l'un d'eux hasarde une de ces définitions appelées scientifiques, chacun des mots de la définition multipliera l'inconnu et ouvrira de toutes parts des portes imprévues sur la nuit infinie. Si nous ignorons tout de l'essence, du destin, de la vie, d'un peu de clarté familière dont tous les éléments furent créés par nous, dont la source, les

causes prochaines et les effets tiennent dans une
coupe de porcelaine, comment espérer de pénétrer
l'incompris d'une vie dont les éléments les plus
simples sont situés à des millions d'années, à des
milliards de lieues de notre intelligence ?

(XI)

Depuis qu'elle existe, l'humanité n'a pas avancé
d'un pas sur la route du mystère que nous médi-
tons. Toute question que nous nous posons à son
sujet, ne touche plus, par aucun côté, semble-t-il,
à la sphère dans laquelle notre intelligence s'est
formée et se meut. Il n'y a peut-être aucun rapport
possible ou imaginable entre l'organe qui pose la
question et la réalité qui devrait y répondre. Les
plus actives et les plus rigoureuses recherches de
ces dernières années ne nous ont rien appris. De
savantes et consciencieuses sociétés psychiques,
notamment en Angleterre, ont réuni un imposant
ensemble de faits qui tendent à prouver que la vie
de l'être spirituel ou nerveux peut continuer pendant un certain temps après la mort de l'être matériel. Admettons que ces faits soient incontestables
et scientifiquement établis ; ils déplaceraient simplement de quelques lignes, de quelques heures,
le commencement du mystère. Si le fantôme d'une
personne aimée, reconnaissable et apparemment si
vivant que je lui adresse la parole, entre ce soir dans

ma chambre à la minute même où la vie se sépare du
corps qui gît à mille lieues de l'endroit où je me
trouve, cela, sans doute, est bien étrange dans un
monde dont nous ne comprenons pas le premier mot ;
mais cela montre au plus que l'âme, l'esprit, le
souffle, la force nerveuse et insaisissable de la partie
la plus subtile de notre matière, peut se détacher de
celle-ci et lui survivre un instant, comme la flamme
d'une lampe qu'on éteint se détache parfois de
la mèche et flotte un moment dans la nuit. Certes,
le phénomène est étonnant ; mais étant donnée la
nature de cette force spirituelle, il devrait nous étonner bien davantage qu'il ne se produise pas fréquemment et à notre gré, dans la plénitude de la
vie. En tout cas, il n'éclaire nullement la question.
Jamais un seul de ces phantasmes n'a paru avoir
la moindre conscience d'une vie nouvelle, d'une vie
supra-terrestre et différente de celle que venait de
quitter le corps dont il émanait. Au contraire, leur
vie spirituelle à tous, à ce moment où elle devrait être
pure puisqu'elle est débarrassée de la matière,
semble fort inférieure à ce qu'elle était lorsque la
matière l'enveloppait. La plupart poursuivent
machinalement, dans une sorte d'hébétude som-
nambulique, les plus insignifiantes de leurs préoc-
cupations habituelles. L'un cherche son chapeau
oublié sur un meuble, l'autre s'inquiète d'une petite
dette ou s'informe de l'heure. Et tous, peu après,
alors que devrait commencer la survie véritable,
s'évaporent et disparaissent à jamais. J'en conviens,

cela ne prouve rien ni pour ni contre la survie possible. Nous ne savons si ces brèves apparitions sont les premières lueurs d'une autre existence ou les dernières de celle-ci. Peut-être que les morts usent et profitent ainsi, faute de mieux, du dernier lien qui les unit et les rend encore sensibles à nos sens. Peut-être qu'ensuite ils continuent de vivre autour de nous, mais ne parviennent plus, malgré tous leurs efforts, à se faire reconnaître, ni à nous donner une idée de leur présence, parce que nous n'avons pas l'organe nécessaire pour les percevoir ; de même que tous nos efforts ne réussiraient pas à donner à un aveugle-né la moindre notion de la lumière ou des couleurs. En tous cas, il est certain que les enquêtes et les travaux de cette science nouvelle du « *Borderland* », comme l'appellent les Anglais, ont laissé le problème exactement au point où il se trouvait depuis les origines de la conscience humaine.

(XII)

Dans l'ignorance invincible où nous sommes, notre imagination a donc le choix de nos destinées éternelles. Or, en examinant les possibilités diverses, on est forcé de reconnaître que les plus belles ne sont pas les moins vraisemblables. Une première hypothèse à écarter d'emblée, sans discussion, nous l'avons vu, est celle de l'anéantissement absolu.

Une deuxième hypothèse, ardemment caressée par nos instincts aveugles, nous promet la conservation plus ou moins intégrale, à travers l'infini des temps, de notre conscience ou de notre moi actuel. Nous avons également étudié cette hypothèse, un peu plus plausible que la première, mais au fond si étroite, si naïve et si puérile, qu'on ne voit guère, non plus pour l'homme que pour les plantes et les animaux, le moyen de la situer raisonnablement dans l'espace sans bornes et le temps sans limites. Ajoutons que de toutes nos destinées possibles, elle serait la seule vraiment redoutable et que l'anéantissement pur et simple lui serait mille fois préférable.

Reste la double hypothèse d'une survie sans conscience, ou avec une conscience élargie et transformée, dont celle que nous possédons aujourd'hui ne nous peut donner aucune idée, qu'elle nous empêche plutôt de concevoir, de même que notre œil imparfait nous empêche de concevoir une autre lumière que celle qui va de l'infra-rouge à l'ultra-violet ; alors qu'il est certain que ces lumières, probablement prodigieuses, éblouiraient de toutes parts, dans la nuit la plus noire, une prunelle autrement façonnée que la nôtre.

Bien que double au premier abord, l'hypothèse se ramène à la simple question de conscience. Dire, par exemple, comme nous sommes tentés de le faire, qu'une survie sans conscience équivaut à l'anéantissement, c'est trancher *à priori* et sans réflexion ce problème de la conscience, le principal et le plus obscur de tous ceux qui nous intéressent.

Il est, comme l'ont proclamé toutes les métaphysiques, le plus difficile qui soit, attendu que l'objet de la connaissance est cela même qui voudrait connaître. Que peut donc ce miroir toujours en face de lui-même, sinon se refléter indéfiniment et inutilement ? Pourtant, en ce reflet impuissant à sortir de sa propre multiplication, dort le seul rayon capable d'éclairer tout le reste. Que faire ? il n'est d'autre moyen de s'évader de sa conscience que de la nier, de la considérer comme une maladie organique de l'intelligence terrestre, maladie qu'il faut essayer de guérir par un acte qui doit nous paraître un acte de folie violente ou volontaire, mais qui, de l'autre côté de nos apparences, est probablement un acte de santé.

(XIII)

Mais il est impossible de s'évader ; et nous revenons fatalement rôder autour de notre conscience fondée sur notre mémoire, la plus précaire de nos facultés. Etant évident, disons-nous, que rien ne peut périr, nous avons nécessairement vécu avant notre vie actuelle. Mais puisque nous ne pouvons rattacher cette existence antérieure à notre vie présente, cette certitude nous est aussi indifférente, passe aussi loin de nous, que toutes les cer-

titudes de l'existence postérieure. Et voilà, avant
la vie comme après la mort, l'apparition du moi
mnémonique, dont il convient, une fois de plus, de
se demander si ce qu'il fait durant les quelques
jours de son activité est vraiment assez important
pour décider ainsi, à son seul égard, du problème de
l'immortalité. De ce que nous jouissons de notre moi
sous une forme exclusive, si spéciale, si imparfaite,
si fragile, si éphémère, s'ensuit-il qu'il n'y ait nul
autre mode de conscience et nul autre moyen de
jouir de la vie ? Un peuple d'aveugles-nés, pour
revenir à la comparaison qui s'impose, puisqu'elle
résume le mieux notre situation parmi la nuit des
mondes, un peuple d'aveugles-nés, à qui un unique
voyant révèlerait les allégresses de la lumière,
nierait non seulement que celle-ci soit possible,
mais même imaginable. Pour nous, n'est-il pas à peu
près certain qu'il nous manque ici-bas, entre mille
autres sens, un sens supérieur à celui de notre conscience mnémonique, pour jouir plus amplement
et plus sûrement de notre moi ? Ne pourrait-on pas
dire que nous saisissons parfois des traces obscures
ou des velléités de ce sens en germe ou atrophié,
en tout cas opprimé et presque supprimé par le
régime de notre vie terrestre qui centralise toutes
les évolutions de notre existence sur le même point
sensible? N'y a-t-il pas certains moments confus où,
si impitoyablement, si scientifiquement que l'on
fasse la part de l'égoïsme recherché jusqu'en ses
plus lointaines et secrètes sources, il demeure en

nous quelque chose d'absolument désintéressé qui
goûte le bonheur d'autrui ? N'est-il pas également
possible que les joies sans but de l'art, la satisfaction
calme et pleine où nous plonge la contemplation
d'une belle statue, d'un monument parfait, qui ne
nous appartient pas, que nous ne reverrons jamais,
qui n'excite aucun désir sensuel, qui ne peut nous
être d'aucune utilité ; n'est-il pas possible que cette
satisfaction soit la pâle lueur d'une conscience
différente qui filtre à travers une fissure de notre
conscience mnémonique ? Si nous ne pouvons imaginer cette conscience différente, ce n'est pas une
raison pour la nier. Je crois même qu'il serait plus
sage d'affirmer que c'est un motif de l'admettre.
Toute notre vie se passerait au milieu de choses que
nous n'aurions pu imaginer si nos sens, au lieu de
nous être donnés tous ensemble, nous étaient accor-
dés un à un et d'année en année. Au reste, un de
ces sens, le sens génésique, qui ne s'éveille qu'aux
approches de la puberté, nous montre que la
découverte d'un monde imprévu, le déplacement de
tous les axes de notre vie, dépend d'un accident de
notre organisme. Durant l'enfance, nous ne soup-
çonnions point l'existence de tout un univers de
passions, d'ivresses et de douleurs qui agitent « les
grandes personnes ». Si d'aventure, quelque écho mu-
tilé de ces bruits arrivait à nos innocentes et
curieuses oreilles, nous ne parvenions pas à comprendre quelle espèce de frénésie ou de folie s'em-
parait ainsi de nos aînés; et nous nous promettions,

le moment venu, d'être plus raisonnables, jusqu'au jour où l'amour brusquement apparu dérangeait le centre de gravité de tous nos sentiments et de la plupart de nos idées. On voit donc que concevoir ou ne pas concevoir, tient à trop peu de chose pour que nous ayons le droit de douter de la possibilité de ce que nous pouvons imaginer.

(XIV)

Ce qui nous interdit et nous interdira longtemps encore les trésors de l'univers, c'est la résignation héréditaire avec laquelle nous séjournons dans la morne prison de nos sens. Notre imagination, telle que nous la menons aujourd'hui, s'accommode trop aisément de cette captivité. Il est vrai qu'elle est la fille esclave de ces sens qui l'alimentent seuls. Mais elle ne cultive pas assez en elle les intuitions et les pressentiments qui lui disent qu'elle est absurdement prisonnière et qu'elle doit chercher des issues par delà même les cercles les plus grandioses et les plus infinis qu'elle se représente. Il importe qu'elle se dise de plus en plus sérieusement que le monde réel commence à des milliards de lieues plus loin que ses songes les plus ambitieux et les plus téméraires. Elle n'eut jamais le droit ni le devoir d'être plus follement audacieuse. Tout ce qu'elle réussit à bâtir et multiplier dans l'espace et le temps les plus énormes qu'elle soit capable de concevoir, n'est rien au regard de ce qui existe. Les plus petites révélations de la science dans l'humble vie quotidienne lui apprennent déjà que même en ce modeste milieu elle ne peut tenir tête à la réalité, qu'elle est constamment débordée, déconcertée, éblouie par tout ce qui se cache d'inattendu dans une pierre, un sel, un verre d'eau, une plante, un insecte. C'est déjà quelque chose que d'en être convaincu, puisque cela met dans un état d'esprit qui guette toutes les occasions de rompre le cercle de notre aveuglement ; puisque cela persuade qu'il ne faut espérer dans ce cercle nulle vérité définitive et que toutes sont situées plus outre. L'homme, pour garder le sens des proportions, a besoin de se dire à tous moments que, placé tout à coup au milieu des réalités de l'univers, il serait exactement comparable à une fourmi qui, ne connaissant que les étroits sentiers, les trous minimes, les abords et les horizons de sa fourmilière, se trouverait soudain sur un fétu de paille au milieu de l'Atlantique. En attendant que nous soyons sortis d'une prison qui nous empêche de prendre contact avec les réalités d'outre-imagination, il y a bien plus de chance d'atteindre par hasard un fragment de vérité en imaginant les choses les plus inimaginables, qu'en s'évertuant à conduire parmi l'éternité, entre les digues de la logique et des possibilités actuelles, les songes de cette imagination. Efforçons-nous donc d'écarter de nos yeux, chaque fois qu'un nouveau rêve se présente, le bandeau de notre vie terrestre.

Disons-nous que, parmi toutes les possibilités que nous cache encore l'univers, une des plus faciles à réaliser, des plus probables, des moins ambitieuses et des moins déconcertantes, est certes la possibilité d'un mode de jouir de l'être, plus haut, plus large, plus parfait, plus durable et plus sûr que celui qui nous est offert par notre conscience actuelle. Cette possibilité admise, et il en est peu d'aussi vraisemblables, le problème de notre immortalité est, en principe, résolu. Il s'agit maintenant d'en saisir ou d'en prévoir les modes ; et parmi les circonstances qui nous intéressent le plus, de connaître la part de nos acquisitions intellectuelles et morales qui passera dans notre vie éternelle et universelle. Ce n'est point l'œuvre d'aujourd'hui ni de demain ; mais celle d'un autre jour...

THÉATRE

INTÉRIEUR [1]

PERSONNAGES :

Dans le Jardin

LE VIEILLARD.

L'ETRANGER.

MARTHE
ET MARIE. } petites-filles du Vieillard.

Un paysan.

La foule.

Dans la Maison

LA MÈRE.

LE PÈRE.

LES DEUX FILLES. } personnages muets.

L'ENFANT.

---

(1) Tiré du Théâtre en 3 volumes. (Paul Lacombler, éditeur, 31, rue des Paroissiens, Bruxelles).

Un vieux jardin planté de saules. Au fond une mai-
son, dont trois fenêtres du rez-de-chaussée sont
éclairées. On aperçoit assez distinctement une
famille qui fait la veillée sous la lampe. Le père
est assis au coin du feu. La mère, un coude sur
la table, regarde dans le vide. Deux jeunes filles,
vêtues de blanc, brodent, rêvent et sourient à la
tranquillité de la chambre. Un enfant sommeille,
la tête sur l'épaule gauche de la mère. Il semble que
lorsque l'un d'eux se lève, marche ou fait un geste,
ses mouvements soient graves, lents, rares et
comme spiritualisés par la distance, la lumière
et le voile indécis des fenêtres.

Le vieillard et l'étranger entrent avec précaution
dans le jardin.

LE VIEILLARD.

Nous voici dans la partie du jardin qui s'étend
derrière la maison. Ils n'y viennent jamais. Les
portes sont de l'autre côté. — Elles sont fermées
et les volets sont clos. Mais il n'y a pas de volets
par ici et j'ai vu de la lumière... Oui ; ils veillent
encore sous la lampe. Il est heureux qu'ils ne nous
aient pas entendus ; la mère et les jeunes
filles seraient sorties peut-être, et alors, qu'aurait-il
fallu faire ?...

L'ÉTRANGER.

Qu'allons-nous faire ?

LE VIEILLARD.

Je voudrais voir, d'abord, s'ils sont tous dans
la salle. Oui, j'aperçois le père assis au coin du
feu. Il attend, les mains sur les genoux... la mère
s'accoude sur la table.

L'ÉTRANGER.

Elle nous regarde...

LE VIEILLARD.

Non ; elle ne sait pas ce qu'elle regarde ; ses yeux
ne clignent pas. Elle ne peut pas nous voir ; nous
sommes dans l'ombre des grands arbres. Mais n'approchez pas davantage... Les deux sœurs de la
morte sont aussi dans la chambre. Elles brodent
lentement ; et le petit enfant s'est endormi. Il est
neuf heures à l'horloge qui se trouve dans le coin...
Ils ne se doutent de rien et ils ne parlent pas.

L'ÉTRANGER.

Si l'on pouvait attirer l'attention du père, et
lui faire quelque signe ? Il a tourné la tête de ce

côté. Voulez-vous que je frappe à l'une des fenêtres ? Il faut bien que l'un d'eux l'apprenne avant
les autres...

LE VIEILLARD.

Je ne sais qui choisir... Il faut prendre de grandes
précautions... Le père est vieux et maladif... La
mère aussi ; et les sœurs sont trop jeunes... Et
tous l'aimaient comme on n'aimera plus... Je
n'avais jamais vu de maison plus heureuse... Non,
non, n'approchez pas de la fenêtre ; ce serait pis
qu'autre chose... Il vaut mieux l'annoncer le plus
simplement que l'on peut ; comme si c'était un événement ordinaire ; et ne pas paraître trop triste ;
sinon leur douleur veut surpasser la vôtre et ne
sait plus que faire... Allons de l'autre côté du jardin.
Nous frapperons à la porte et nous entrerons comme
si rien n'était arrivé. J'entrerai le premier ; ils ne
seront pas surpris de me voir ; je viens parfois, le
soir, leur apporter des fleurs ou des fruits et passer
quelques heures avec eux.

L'ÉTRANGER.

Pourquoi faut-il que je vous accompagne ?
Allez seul ; j'attendrai qu'on m'appelle... Ils ne
m'ont jamais vu... Je ne suis qu'un passant ; je
suis un étranger...

LE VIEILLARD.

Il vaut mieux ne pas être seul. Un malheur qu'on n'apporte pas seul est moins net et moins lourd... J'y songeais en venant jusqu'ici... Si j'entre seul, il me faudra parler dès le premier moment ; ils sauront tout en quelques mots et je n'aurai plus rien à dire ; et j'ai peur du silence qui suit les dernières paroles qui annoncent un malheur... C'est alors que le cœur se déchire... Si nous entrons ensemble, je leur dis par exemple, après de longs détours : On l'a trouvée ainsi... Elle flottait sur le fleuve et ses mains étaient jointes.

L'ÉTRANGER.

Ses mains n'étaient pas jointes ; ses bras pendaient le long du corps.

LE VIEILLARD.

Vous voyez qu'on parle malgré soi... Et le malheur se perd dans les détails... sans quoi, si j'entre seul, aux premiers mots, tel que je les connais, ce serait effrayant, et Dieu sait ce qui arriverait... Mais si nous parlons tour à tour, ils nous écouteront et ne songeront pas à regarder la mauvaise nouvelle...

N'oubliez pas que la mère sera là et que sa vie tient à fort peu de chose... Il est bon que la première vague se brise sur quelques paroles inutiles... Il faut qu'on parle un peu autour des malheureux et qu'ils soient entourés. Les plus indifférents portent, sans le savoir, une part de la douleur... Elle se divise ainsi sans bruit et sans effort, comme l'air ou la lumière...

L'ÉTRANGER.

Vos vêtements sont trempés et dégouttent sur les dalles.

LE VIEILLARD.

Le bas de mon manteau seul a trempé dans l'eau. — Vous semblez avoir froid. Votre poitrine est couverte de terre... Je ne l'avais pas remarqué sur la route, à cause de l'obscurité...

L'ÉTRANGER.

Je suis entré dans l'eau jusqu'à la ceinture.

LE VIEILLARD.

Y avait-il longtemps que vous l'aviez trouvée lorsque je suis venu ?

L'ÉTRANGER.

Quelques instants à peine. J'allais vers le village ; il était déjà tard et la berge devenait obscure. Je marchais, les yeux fixés sur le fleuve
parce qu'il était plus clair que la route, lorsque je
vois une chose étrange à deux pas d'une touffe de
roseaux... Je m'approche et j'aperçois sa chevelure qui s'était élevée presque en cercle, au-dessus
de sa tête, et qui tournoyait ainsi, selon le courant...

*Dans la chambre, les deux jeunes filles tournent
la tête vers la fenêtre.*

LE VIEILLARD.

Avez-vous vu trembler sur leurs épaules la
chevelure de ses deux sœurs ?

L'ÉTRANGER.

Elles ont tourné la tête de notre côté... Elles ont
simplement tourné la tête. J'ai peut-être parlé
trop fort. (*Les deux jeunes filles reprennent leur
première position*). Mais déjà elles ne regardent

plus... Je suis entré dans l'eau jusqu'à la ceinture et j'ai pu la prendre par la main et l'amener sans efforts sur la rive... Elle était aussi belle que ses sœurs...

LE VIEILLARD.

Elle était peut-être plus belle... Je ne sais pas pourquoi j'ai perdu tout courage...

L'ÉTRANGER.

De quel courage parlez-vous ? Nous avons fait tout ce que l'homme pouvait faire... Elle était morte depuis plus d'une heure...

LE VIEILLARD.

Elle vivait ce matin !... Je l'avais rencontrée au sortir de l'église... Elle m'a dit qu'elle partait ; elle allait voir son aïeule de l'autre côté de ce fleuve où vous l'avez trouvée... Elle ne savait pas quand je la reverrais... Elle doit avoir été sur le point de me demander quelque chose ; puis elle n'a pas osé et elle m'a quitté brusquement. Mais j'y songe à pré-

sent... Et je n'avais rien vu !... Elle a souri comme
sourient ceux qui veulent se taire ou qui ont peur
qu'on ne comprenne pas... Elle semblait n'espérer
qu'avec peine... ses yeux n'étaient pas clairs et ne
m'ont presque pas regardé....

L'ÉTRANGER.

Des paysans m'ont dit qu'ils l'avaient vue errer
jusqu'au soir sur la rive... Ils croyaient qu'elle
cherchait des fleurs... Il se peut que sa mort...

LE VIEILLARD.

On ne sait pas... Et qu'est-ce que l'on sait ?...
Elle était peut-être de celles qui ne veulent rien
dire, et chacun porte en soi plus d'une raison de
ne plus vivre... On ne voit pas dans l'âme comme
on voit dans cette chambre. On vit pendant des
mois à côté de quelqu'un qui n'est plus de ce
monde et dont l'âme ne peut plus s'incliner ; on
lui répond sans y songer : et vous voyez ce qui
arrive... Elles parlent en souriant des fleurs qui
sont tombées et pleurent dans l'obscurité... Un
ange même ne verrait pas ce qu'il faut voir ; et
l'homme ne comprend qu'après coup... Hier soir,

elle était là, sous la lampe comme ses sœurs, et vous ne les verriez pas, telles qu'il faut les voir, si cela n'était pas arrivé... Il me semble les voir pour la première fois... Il faut ajouter quelque chose à la vie ordinaire avant de pouvoir la comprendre... Elles sont à vos côtés, vos yeux ne les quittent pas; et vous ne les apercevez qu'au moment où elles partent pour toujours... Et cependant, l'étrange petite âme qu'elle devait avoir; la pauvre et naïve et inépuisable petite âme qu'elle a eue, mon enfant, si elle a fait ce qu'elle doit avoir fait...

L'ÉTRANGER.

En ce moment, ils sourient en silence dans la chambre...

LE VIEILLARD.

Ils sont tranquilles... Ils ne l'attendaient pas ce soir...

L'ÉTRANGER.

Ils sourient sans bouger... mais voici que le père met un doigt sur les lèvres...

LE VIEILLARD.

Il désigne l'enfant endormi sur le cœur de la mère...

L'ÉTRANGER.

Elle n'ose pas lever les yeux, de peur de troubler son sommeil...

LE VIEILLARD.

Elles ne travaillent plus... Il règne un grand silence.

L'ÉTRANGER.

Elles ont laissé tomber l'écheveau de soie blanche...

LE VIEILLARD.

Ils regardent l'enfant...

L'ÉTRANGER.

Ils ne savent pas que d'autres les regardent...

LE VIEILLARD.

On nous regarde aussi...

L'ÉTRANGER.

Ils ont levé les yeux...

LE VIEILLARD.

Et cependant ils ne peuvent rien voir...

L'ÉTRANGER.

Ils semblent heureux, et cependant, on ne sait pas
ce qu'il y a...

LE VIEILLARD.

Ils se croient à l'abri... Ils ont fermé les portes ;
et les fenêtres ont des barreaux de fer... Ils ont
consolidé les murs de la vieille maison ; ils ont
mis des verrous aux trois portes de chêne... Ils ont
prévu tout ce qu'on peut prévoir...

L'ÉTRANGER.

Il faudra finir par le dire... Quelqu'un pourrait
venir l'annoncer brusquement.. Il y avait une foule

de paysans dans la prairie où se trouve la morte...
Si l'un d'eux frappait à la porte.

LE VIEILLARD.

Marthe et Marie sont aux côtés de la petite morte.
Les paysans allaient faire un brancard de feuillages ;
et j'ai dit à l'aînée de venir nous avertir en hâte, du
moment qu'ils se mettraient en marche. Attendons
qu'elle vienne ; elle m'accompagnera... Nous n'aurions pas pu les regarder ainsi... Je croyais qu'il
n'y avait qu'à frapper à la porte ; à entrer simplement, à chercher quelques phrases et à dire... Mais
je les ai vus vivre trop longtemps sous leur lampe.

Entre Marie.

MARIE.

Ils viennent, grand-père.

LE VIEILLARD.

Est-ce toi ? — Où sont-ils ?

MARIE.

Ils sont au bas des dernières collines.

LE VIEILLARD.

Ils viendront en silence ?

MARIE.

Je leur ai dit de prier à voix basse. Marthe les accompagne...

LE VIEILLARD.

Ils sont nombreux ?

MARIE.

Tout le village est autour des porteurs. Ils avaient des lumières. Je leur ai dit de les éteindre...

LE VIEILLARD.

Par où viennent-ils ?

MARIE.

Par les petits sentiers. Ils marchent lentement...

LE VIEILLARD.

Il est temps...

MARIE,

Vous l'avez dit, grand-père ?

LE VIEILLARD.

Tu vois bien que nous n'avons rien dit... Ils attendent encore sous la lampe... Regarde, mon enfant, regarde : tu verras quelque chose de la vie...

MARIE.

Oh ! qu'ils semblent tranquilles !... On dirait que je les vois en rêve...

L'ÉTRANGER.

Prenez garde, j'ai vu tressaillir les deux sœurs...

LE VIEILLARD.

Elles se lèvent...

L'ÉTRANGER.

Je crois qu'elles viennent vers les fenêtres..,

*L'une des deux sœurs dont ils parlent s'approche
en ce moment de la première fenêtre, l'autre, de
la troisième ; et, appuyant les mains sur les
vitres, regardent longuement dans l'obscurité.*

LE VIEILLARD.

Personne ne vient à la fenêtre du milieu...

MARIE.

Elles regardent... Elles écoutent...

LE VIEILLARD.

L'aînée sourit à ce qu'elle ne voit pas...

L'ÉTRANGER.

Et la seconde a les yeux pleins de crainte...

LE VIEILLARD.

Prenez garde ; on ne sait pas jusqu'où l'âme s'étend
autour des hommes...

*Un long silence. Marie se blottit contre la poi-
trine du vieillard et l'embrasse.*

MARIE.

Grand-père !...

LE VIEILLARD.

Ne pleure pas, mon enfant... nous aurons notre
tour...

Un silence.

L'ÉTRANGER.

Elles regardent longtemps...

LE VIEILLARD.

Elles regarderaient cent mille ans qu'elles n'aper-
cevraient rien, les pauvres sœurs... la nuit est trop
obscure... Elles regardent par ici ; et c'est par là
que le malheur arrive...

L'ÉTRANGER.

Il est heureux qu'elles regardent par ici... Je
ne sais pas ce qui s'avance du côté des prairies.

MARIE.

Je crois que c'est la foule... Ils sont si loin qu'on les distingue à peine...

L'ÉTRANGER.

Ils suivent les ondulations du sentier... voici qu'ils reparaissent à côté d'un talus éclairé par la lune...

MARIE.

Oh ! qu'ils semblent nombreux... Ils accouraient déjà du faubourg de la ville, lorsque je suis venue... Ils font un grand détour...

LE VIEILLARD.

Ils viendront malgré tout, et je les vois aussi... Ils sont en marche à travers les prairies... Ils semblent si petits qu'on les distingue à peine entre les herbes... On dirait des enfants qui jouent au clair de lune ; et si elles les voyaient elles ne comprendraient pas... Elles ont beau leur tourner le dos, ils approchent à chaque pas qu'ils font et

le malheur grandit depuis plus de deux heures.
Ils ne peuvent l'empêcher de grandir ; et ceux-là
qui l'apportent ne peuvent plus l'arrêter... Il est
leur maître aussi et il faut qu'ils le servent... Il a
son but et il suit son chemin... Il est infatigable
et il n'a qu'une idée... Il faut qu'ils lui prêtent leurs
forces. Ils sont tristes mais ils viennent... Ils ont
pitié mais ils doivent avancer...

MARIE.

L'aînée ne sourit plus, grand-père...

L'ÉTRANGER.

Elles quittent les fenêtres...

MARIE.

Elles embrassent leur mère...

L'ÉTRANGER.

L'aînée a caressé les boucles de l'enfant qui ne
s'éveille pas...

MARIE.

Oh ! voici que le père veut qu'on l'embrasse
aussi...

L'ÉTRANGER.

Maintenant le silence...

MARIE.

Elles reviennent aux côtés de la mère...

L'ÉTRANGER.

Et le père suit des yeux le grand balancier de l'horloge...

MARIE.

On dirait qu'elles prient sans savoir ce qu'elles font...

L'ÉTRANGER.

On dirait qu'elles écoutent leurs âmes...

Un silence.

MARIE.

Grand-père, ne le dites pas ce soir !...

LE VIEILLARD.

Tu perds courage aussi... Je savais bien qu'il ne
fallait pas regarder. J'ai près de quatre-vingt-
trois ans et c'est la première fois que la vue de la
vie m'a frappé. Je ne sais pas pourquoi tout ce
qu'ils font m'apparaît si étrange et si grave...
Ils attendent la nuit, simplement, sous leur lampe,
comme nous l'aurions attendue sous la nôtre ; et
cependant je crois les voir du haut d'un autre
monde, parce que je sais une petite vérité qu'ils
ne savent pas encore... Est-ce cela, mes enfants ?
Dites-moi donc pourquoi vous êtes pâles aussi ?
Je ne savais pas qu'il y eût quelque chose de si
triste dans la vie, et qu'elle fît peur à ceux qui la
regardent... Et rien ne serait arrivé que j'aurais
peur à les voir si tranquilles... Ils ont trop de
confiance en ce monde... Ils sont là, séparés de l'ennemi par de pauvres fenêtres... Ils croient que rien
n'arrivera parce qu'ils ont fermé la porte et ils ne
savent pas qu'il arrive toujours quelque chose dans
les âmes et que le monde ne finit pas aux portes
des maisons... Ils sont si sûrs de leur petite vie, et ils
ne se doutent point que tant d'autres en savent
davantage ; et que moi, pauvre vieux, je tiens ici, à
deux pas de leur porte, tout leur petit bonheur entre
mes vieilles mains que je n'ose pas ouvrir...

MARIE.

Ayez pitié, grand-père...

LE VIEILLARD.

Nous avons pitié d'eux, mon enfant, mais on n'a pas pitié de nous...

MARIE.

Dites-le demain, grand-père, dites-le quand il fera clair... ils ne seront pas aussi tristes...

LE VIEILLARD.

Peut-être as-tu raison...Il vaudrait mieux laisser tout ceci dans la nuit. Et la lumière est douce à la douleur... Mais que nous diraient-ils demain ? Le malheur rend jaloux ; et ceux qu'il a frappés veulent le connaître avant les étrangers. Ils n'aiment pas qu'on le laisse aux mains des inconnus... Nous aurions l'air d'avoir dérobé quelque chose...

L'ÉTRANGER.

Il n'est plus temps d'ailleurs ; j'entends déjà le murmure des prières...

MARIE.

Ils sont là... Ils passent derrière les haies...

Entre Marthe.

MARTHE.

Me voici. Je les ai conduits jusqu'ici. Je leur ai dit d'attendre sur la route. *(On entend des cris d'enfants)*. Ah ! les enfants crient encore... Je leur avais défendu de venir... Mais ils veulent voir aussi et les mères n'obéissent pas... Je vais leur dire... Non ; ils se taisent. — Tout est-il prêt ? — J'ai apporté la petite bague qu'on a trouvée sur elle... Je l'ai couchée moi-même sur le brancard. Elle a l'air de dormir... J'ai eu bien de la peine ; ses cheveux ne voulaient pas m'obéir... J'ai fait cueillir des violettes... C'est triste, il n'y avait pas d'autres fleurs... Que faites-vous ici ? Pourquoi n'êtes-vous pas auprès d'eux...*(Elle regarde aux fenêtres)* *Ils ne pleurent pas ?...* ils... vous ne l'avez pas dit ?

LE VIEILLARD.

Marthe, Marthe, il y a trop de vie dans ton âme, tu ne peux pas comprendre...

MARTHE.

Pourquoi ne comprendrais-je pas ?... *(Après un silence et d'un ton de reproche très grave)*. Vous ne pouviez pas faire cela, grand-père...

LE VIEILLARD.

Marthe, tu ne sais pas...

MARTHE.

C'est moi qui vais le dire.

LE VIEILLARD.

Reste ici, mon enfant, et regarde un instant.

MARTHE.

Oh ! qu'ils sont malheureux !... Ils ne peuvent plus attendre...

LE VIEILLARD.

Pourquoi ?

MARTHE.

Je ne sais pas... mais ce n'est plus possible !...

LE VIEILLARD.

Viens ici, mon enfant...

MARTHE.

Quelle patience ils ont !...

LE VIEILLARD.

Viens ici, mon enfant !...

MARTHE, *se retournant*.

Où êtes-vous, grand-père ? Je suis si malheureuse
que je ne vous vois plus... Moi-même, je ne sais plus
que faire...

LE VIEILLARD.

Ne les regarde plus ; jusqu'à ce qu'ils sachent
tout...

MARTHE.

Je veux y aller avec vous...

LE VIEILLARD.

Non, Marthe, reste ici... Assieds-toi à côté de ta sœur, sur ce vieux banc de pierre, contre le mur de la maison, et ne regarde pas... Tu es trop jeune, tu ne pourrais plus oublier... Tu ne peux pas savoir ce que c'est qu'un visage au moment où la mort va passer dans ses yeux... Il y aura peut-être des cris... Ne te retourne pas... Il n'y aura peut-être rien... Surtout, ne te retourne pas si tu n'entendais rien. On ne sait pas d'avance la marche de la douleur... Quelques petits sanglots aux racines profondes et c'est tout, d'habitude... Je ne sais pas moi-même ce qu'il me faudra faire quand je les entendrai... Cela n'appartient plus à cette vie... embrasse-moi, mon enfant, avant que je m'en aille... (*Il sort*).

> *Le murmure des prières s'est graduellement rapproché. Une partie de la foule envahit le jardin. On entend courir à pas sourds et parler à voix basse.*

L'ÉTRANGER, *à la foule.*

Restez ici... n'approchez pas des fenêtres... Où est-elle ?

UN PAYSAN.

Qui ?

L'ÉTRANGER.

Les autres... les porteurs ?...

LE PAYSAN.

Ils arrivent par l'allée qui conduit à la porte.
Le vieillard s'éloigne. Marthe et Marie sont
assises sur le banc, le dos tourné aux fenêtres.
Petites rumeurs dans la foule.

L'ÉTRANGER.

Silence !... Ne parlez pas.

La plus grande des deux sœurs se lève et va
pousser les verrous de la porte...

MARTHE.

Elle l'ouvre ?

L'ÉTRANGER.

Au contraire, elle la ferme.

Un   silence.

MARTHE.

Grand-père n'est pas entré ?

L'ÉTRANGER.

Non... Elle revient s'asseoir à côté de la mère...
les autres ne bougent pas et l'enfant dort toujours...
Un silence.

MARTHE.

Ma petite sœur, donne-moi donc tes mains...

MARIE.

Marthe !
Elles s'enlacent et se donnent un baiser.

L'ÉTRANGER.

Il doit avoir frappé... Ils ont levé la tête en
même temps... ils se regardent...

MARTHE.

Oh ! oh ! ma pauvre sœur... Je vais crier aussi !...
Elle étouffe ses sanglots sur l'épaule de sa sœur.

L'ÉTRANGER.

Il doit frapper encore... Le père regarde l'horloge... Il se lève.

MARTHE.

Ma sœur, ma sœur, je veux entrer aussi... Ils ne peuvent plus être seuls...

MARIE.

Marthe, Marthe !...

Elle la retient.

L'ÉTRANGER.

Le père est à la porte... Il tire les verrous... Il ouvre prudemment...

MARTHE.

Oh !... vous ne voyez pas le...

L'ÉTRANGER.

Quoi ?

MARTHE.

Ceux qui portent...

L'ÉTRANGER.

Il ouvre à peine... Je ne vois qu'un coin de la pelouse et le jet d'eau. Il ne lâche pas la porte... il recule... Il a l'air de dire : « Ah ! c'est vous !... » Il lève les bras... Il referme la porte avec soin... Votre grand-père est entré dans la chambre...

> *La foule s'est rapprochée des fenêtres. Marthe et Marie se lèvent d'abord à demi, puis se rapprochent aussi, étroitement enlacées. On voit le vieillard s'avancer dans la salle. Les deux sœurs de la morte se lèvent ; la mère se lève également, après avoir assis, avec soin, l'enfant dans le fauteuil qu'elle vient d'abandonner ; de sorte que, du dehors, on voit dormir le petit, la tête un peu penchée, au milieu de la pièce. La mère s'avance au-devant du vieillard et lui tend la main, mais la retire avant qu'il ait le temps de la prendre. Une des jeunes filles veut enlever le manteau du visiteur et l'autre lui avance un fauteuil. Mais le vieillard fait un petit geste de refus. Le père sourit d'un air étonné. Le vieillard regarde du côté des fenêtres.*

L'ÉTRANGER.

Il n'ose pas le dire... Il nous a regardés...

Rumeurs dans la foule.

L'ÉTRANGER.

Taisez-vous !...

Le vieillard, en voyant des visages aux fenêtres, a vivement détourné les yeux. Comme une des jeunes filles lui avance toujours le même fauteuil, il finit par s'asseoir et se passe à plusieurs reprises la main droite sur le front.

L'ÉTRANGER.

Il s'asseoit...

Les autres personnes qui se trouvent dans la salle, s'asseoient également, pendant que le père parle avec volubilité. Enfin le vieillard ouvre la bouche et le son de sa voix semble attirer l'attention. Mais le père l'interrompt. Le vieillard reprend la parole et peu à peu les autres s'immobilisent. Tout à coup, la mère tressaille et se lève.

MARTHE.

Oh ! la mère va comprendre !...

Elle se détourne et se cache le visage dans les mains. Nouvelles rumeurs dans la foule. On se bouscule. Des enfants crient pour qu'on les lève afin qu'ils voient aussi. La plupart des mères obéissent.

L'ÉTRANGER.

Silence !... Il ne l'a pas encore dit...

On voit que la mère interroge le vieillard avec angoisse. Il dit quelques mots encore ; puis brusquement, tous les autres se lèvent aussi et semblent l'interpeller. Il fait alors de la tête un lent signe d'affirmation.

L'ÉTRANGER.

Il l'a dit... Il l'a dit tout d'un coup !...

VOIX DANS LA FOULE.

Il l'a dit !... Il l'a dit !...

L'ÉTRANGER.

On n'entend rien...

*Le vieillard se lève aussi ; et sans se retourner,
montre du doigt la porte qui se trouve derrière
lui. La mère, le père et les deux jeunes filles se
jettent sur cette porte, que le père ne parvient
par à ouvrir immédiatement. Le vieillard
veut empêcher la mère de sortir.*

VOIX DANS LA FOULE.

Ils sortent ! Ils sortent !...

*Bousculade dans le jardin. Tous se précipitent
de l'autre côté de la maison et disparaissent
à l'exception de l'Etranger qui demeure aux
fenêtres. Dans la salle, la porte s'ouvre enfin
à deux battants ; tous sortent en même temps.
On aperçoit le ciel étoilé, la pelouse et le jet
d'eau sous le clair de lune, tandis qu'au milieu
de la chambre abandonnée, l'enfant continue
de dormir paisiblement dans le fauteuil. —
Silence.*

L'ÉTRANGER.

L'enfant ne s'est pas éveillé !...

Il sort aussi.

MONNA VANNA [1]

Prinzivalle, condottière à la solde de Florence, assiège Pise réduite à la dernière extrémité. Le sac de la ville et le massacre des habitants sont imminents. Prinzivalle offre de lever le siège et de ravitailler la cité aux abois si Monna Vanna, femme de Guido, chef de la garnison Pisane, consent à se livrer à sa merci, sous sa tente, seule et nue sous son manteau. Pour sauver la ville, Monna Vanna accepte, malgré la colère et l'indignation de son époux. Nous sommes à l'acte II, scène III, au moment où Monna Vanna se présente à l'entrée de la tente.

SCÈNE III

DEVANT PISE. (XVᵉ SIÈCLE).

PRINZIVALLE, VANNA.

Prinzivalle reste seul un instant. Vedio revient, soulève la tapisserie de l'entrée et dit à voix basse : « Maître ». Puis il se retire, et Monna Vanna,

---

[1] *Monna Vanna*, pièce en 3 actes, Fasquelle, éditeur, Paris 1902.

enveloppée d'un long manteau, paraît et s'arrête
sur le seuil. Prinzivalle tressaille, et fait un pas à
sa rencontre).

VANNA, *d'une voix étouffée.*

Je viens comme vous l'avez voulu...

PRINZIVALLE.

Je vois du sang sur votre main. Vous êtes blessée ?

VANNA.

Une balle m'a effleuré l'épaule...

PRINZIVALLE.

Quand et où ?... C'est affreux...

VANNA.

Lorsque j'approchais du camp.

PRINZIVALLE.

Mais qui donc a tiré ?...

VANNA.

Je ne sais, l'homme a fui.

PRINZIVALLE.

Montrez-moi la blessure.

VANNA, *entr'ouvrant le haut de son manteau.*
C'est ici...

PRINZIVALLE.

Au-dessus du sein gauche... Elle n'a pas pénétré...
La peau seule est atteinte... Souffrez-vous... ?

VANNA.

Non.

PRINZIVALLE.

Voulez-vous que je fasse panser la blessure ?

VANNA.

Non.

Un silence.

PRINZIVALLE.

Vous êtes décidée ?...

VANNA.

Oui.

PRINZIVALLE.

Faut-il vous rappeler les termes du...

VANNA.

C'est inutile, je sais.

PRINZIVALLE.

Vous ne regrettez pas ?...

VANNA.

Fallait-il venir sans regrets ?...

PRINZIVALLE.

Votre mari consent ?...

VANNA.

Oui.

PRINZIVALLE.

J'entends vous laisser libre... Il en est temps
encore... voulez-vous renoncer ?...

VANNA.

Non.

PRINZIVALLE.

Pourquoi le faites-vous ?...

VANNA.

Parce qu'on meurt de faim et qu'on mourrait
demain d'une façon plus prompte...

PRINZIVALLE.

Et sans autre raison ?...

VANNA.

Quelle autre pourrait donc ?...

PRINZIVALLE.

Je comprends qu'une femme vertueuse...

VANNA.

Oui.

PRINZIVALLE.

Et qui aime son mari...

VANNA.

Oui.

PRINZIVALLE.

Profondément ?...

VANNA.

Oui.

PRINZIVALLE.

Vous êtes nue sous ce manteau ?...

VANNA.

Oui. *(Vanna fait un mouvement pour dépouiller le manteau. Prinzivalle l'arrête d'un geste).*

PRINZIVALLE.

Vous avez vu, rangés devant la tente, des chariots et des troupeaux ?

VANNA.

Oui.

PRINZIVALLE.

Il y a là deux cents chariots remplis du meilleur
froment de Toscane. Deux cents autres qui portent
des fourrages, des fruits et du vin des environs de
Sienne ; trente autres pleins de poudre qui viennent
d'Allemagne ; et quinze plus petits, qui sont chargés
de plomb. Il y a autour d'eux six cents bœufs d'Apu-
lie, et douze cents moutons. Ils attendent votre
ordre pour pénétrer dans Pise. Voulez-vous les voir
s'éloigner ?...

VANNA.

Oui.

PRINZIVALLE.

Venez à l'entrée de la tente. (*Il soulève la tapisserie ; donne un ordre et fait un signe de la main. On
entend s'élever une vaste et sourde rumeur. Des torches s'allument et s'agitent, des fouets claquent. Les*

*chariots s'ébranlent, les troupeaux mugissent, bêlent
et piétinent. Vanna et Prinzivalle, debout au seuil de la
tente, regardent un instant l'énorme convoi s'éloigner
à la clarté des torches dans la nuit étoilée).* Dès ce soir,
grâce à vous, Pise n'aura plus faim. Elle devient
invincible, et chantera demain dans l'ivresse de la
joie et la gloire d'un triomphe que nul n'espérait
plus... Cela vous suffit-il ?...

VANNA.

Oui.

PRINZIVALLE.

Refermons la tente, et donnez-moi votre main.
Le soir est tiède encore, mais la nuit sera froide.
Vous êtes venue sans armes, sans un poison caché ?...

VANNA.

Je n'ai que mes sandales et ce manteau. Dépouil-
lez-moi de tout si vous craignez un piège.

PRINZIVALLE.

Ce n'est pas pour moi que je crains, c'est pour
vous...

VANNA.

Je ne mets pas ces choses au-dessus de la vie.

PRINZIVALLE.

C'est bien et vous avez raison. — Venez, reposez-vous... — C'est le lit d'un guerrier, il est âpre et farouche, étroit comme une tombe et peu digne de vous. — Reposez-vous ici, sur ces peaux d'aurochs et de béliers qui ne savent pas encore combien le corps d'une femme est doux et précieux... Mettez sous votre tête cette toison plus moelleuse... C'est une peau de lynx qu'un roi d'Afrique me donna le soir d'une victoire... (*Vanna s'asseoit étroitement enveloppée de son manteau*). — La clarté de la lampe vous tombe sur les yeux... Voulez-vous que je la déplace ?

VANNA.

Peu importe...

PRINZIVALLE, *s'agenouillant au pied de la couche et saisissant la main de Vanna.*

Giovanna !... (*Vanna se redresse étonnée et le regarde*). — Oh ! Vanna ! ma Vanna !... — Car, moi aussi, j'avais coutume de vous appeler ainsi... Maintenant je défaille en prononçant ce nom... Il resta si longtemps enfermé dans mon cœur, qu'il n'en peut plus sortir sans briser sa prison... Il est mon cœur lui-même et je n'en ai plus d'autre... Chacune de ses syllabes contient toute ma vie ; et quand je les prononce, c'est ma vie qui s'écoule... Il m'était familier, je croyais le connaître, je n'en

avais plus peur à force de le nommer ; et voilà des
années qu'à chaque heure de chaque jour, je me le
répétais comme un grand mot d'amour qu'il faudrait
avoir le courage de prononcer enfin, ne fût-ce qu'une
fois, en présence de celle qu'il évoquait en vain... Je
croyais que mes lèvres en avaient pris la forme, qu'au
moment espéré elles sauraient le redire avec une
telle douceur, avec un tel respect, avec un abandon
si profond et si humble, que celle qui l'entendrait
comprendrait la détresse et l'amour qu'il contient...
Mais voilà qu'aujourd'hui il n'évoque plus une ombre... Ce n'est plus le même nom. Je ne le connais
plus quand il sort de ma bouche, tout coupé de
sanglots et tout meurtri de craintes... J'y ai mis
trop de choses ; et toute l'émotion, toute l'adoration
que j'y ai renfermées viennent briser ma force et
font mourir ma voix...

VANNA.

Qui êtes-vous ?

PRINZIVALLE.

Vous ne me connaissez pas... Vous ne revoyez
rien ?... — Ah ! comme le temps qui passe efface
des merveilles !... Mais ces merveilles-là, je les avais
vues seul... Au fait, c'est mieux peut-être qu'elles
soient oubliées... Je n'aurai plus d'espoir j'aurai

moins de regrets... Non, je ne vous suis rien... Je ne suis qu'un pauvre homme qui regarde un instant le but même de sa vie... Je suis un malheureux qui ne demande rien, qui ne sait même plus ce qu'il faut demander, mais qui voudrait vous dire, si la chose est possible, pour que vous le sachiez avant de le quitter, ce que vous avez été, et ce que vous serez jusqu'au bout dans sa vie...

VANNA.

Vous me connaissez donc ?... Qui êtes-vous ?...

PRINZIVALLE.

Vous n'avez jamais vu celui qui vous regarde, comme on regarderait, dans un monde de fées, la source de sa joie et de son existence... comme je n'espérais pas vous regarder un jour ?...

VANNA.

Non... Du moins je ne crois pas...

PRINZIVALLE.

Oui, vous ne saviez pas... et j'étais sûr, hélas ! que vous ne saviez plus... — Or vous aviez huit ans, et moi j'en avais douze, quand je vous rencontrai pour la première fois...

VANNA.

Où cela ?...

PRINZIVALLE.

A Venise, un dimanche de juin. — Mon père, le vieil orfèvre, apportait un collier de perles à notre mère. — Elle admirait les perles... J'errais dans le jardin... Alors, je vous trouvai sous un bosquet de myrtes, près d'un bassin de marbre... Une mince bague d'or était tombée dans l'eau... Vous pleuriez près du bord... J'entrai dans le bassin. — Je faillis me noyer ; mais je saisis la bague et vous la mis au doigt... — Vous m'avez embrassé et vous étiez heureuse...

VANNA.

C'était un enfant blond nommé Gianello. — Tu es Gianello ?...

PRINZIVALLE.

Oui...

VANNA.

Qui vous eût reconnu ?... —- Et puis votre visage est caché par ces linges... Je ne vois que vos yeux...

PRINZIVALLE, *écartant un peu les bandages.*

Me reconnaissez-vous, lorsque je les écarte ?...

VANNA.

Oui... Peut-être... Il me semble... Car vous avez encore un sourire d'enfant... Mais vous êtes blessé et vous saignez aussi...

PRINZIVALLE.

Oh ! pour moi ce n'est rien... Mais pour vous, c'est injuste...

VANNA.

Mais le sang perce tout... Laissez-moi rattacher ce bandage... Il était mal noué... (*Elle rajuste les linges*). J'ai soigné bien souvent des blessés dans cette guerre... Oui, oui, je me rappelle... Je revois le jardin avec ses grenadiers, ses lauriers et ses roses... Nous y avons joué plus d'une après-midi, quand le sable était chaud et couvert de soleil.

PRINZIVALLE.

Douze fois, j'ai compté... Je dirais tous nos jeux et toutes vos paroles...

VANNA.

Puis un jour j'attendis, car je vous aimais bien•
Vous étiez grave et doux comme une petite fille, et
vous me regardiez comme une jeune reine... Vous
n'êtes pas revenu...

PRINZIVALLE.

Mon père m'amena... Il allait en Afrique... Nous
nous sommes égarés là-bas dans les déserts... Puis je
fus prisonnier des Arabes, des Turcs, des Espagnols,
que sais-je ?... Quand je revis Venise, votre mère
était morte, le jardin dévasté... J'avais perdu vos
traces, puis je les retrouvai, grâce à votre beauté qui
laissait partout un sillage qui ne s'effaçait plus...

VANNA.

Vous m'avez reconnue tout de suite, lorsque je
suis entrée ?...

PRINZIVALLE.

Si vous étiez venues dix mille sous ma tente,
toutes vêtues de même, toutes également belles,
comme dix mille sœurs que leur mère confondrait,
je me serais levé, j'aurais pris votre main, j'aurais

dit : « La voici... » C'est étrange, n'est-ce pas, qu'une
image bien-aimée, puisse vivre ainsi dans un cœur...
Car la vôtre vivait à ce point dans le mien, qu'elle
changeait chaque jour comme dans la vie réelle. Et
celle d'aujourd'hui remplaçait celle d'hier... Elle
s'épanouissait, elle devenait plus belle ; et les années
l'ornaient de tout ce qu'elles ajoutent à l'enfant
qui se forme... Mais quand je vous revis, il me sembla
d'abord que mes yeux me trompaient... Mes souvenirs
étaient si beaux et si fidèles !... Mais ils avaient été
trop lents et trop timides... Ils n'avaient pas osé
vous donner tout l'éclat qui venait brusquement
m'éblouir... J'étais comme celui qui se rappelle une
fleur qu'il n'a vue qu'une fois, en passant, dans un
parc, par un jour indécis, et qui en voit cent mille,
tout à coup, dans un champ inondé de soleil... Je
revoyais ce front, ces cheveux et ces yeux, et je
retrouvais l'âme du visage adoré ; mais comme sa
beauté venait faire honte à celles que j'accumulais en
silence depuis des jours, des mois qui ne finissaient
pas, et des suites d'années qui pour toute lumière
avaient un souvenir qui prenait une route trop
longue et que la réalité dépassait !...

VANNA.

Oui, vous m'avez aimée comme on aime à
cet âge ; mais le temps et l'absence embellissen
l'amour...

PRINZIVALLE.

Les hommes disent souvent qu'ils n'ont ou qu'ils
n'ont eu qu'un amour dans leur vie ; et c'est rarement vrai... Ils parent leur désir ou leur indifférence,
du merveilleux malheur de ceux qui sont créés pour
un amour unique ; et, quand l'un de ceux-ci,
usant des mêmes mots qui n'étaient qu'un mensonge
harmonieux sur les lèvres des autres, vient dire la
vérité profonde et douloureuse qui ravage sa vie, les
mots trop employés par les amants heureux, ont
perdu toute leur force, toute leur gravité ; et celle
qui les écoute rabaisse, sans y songer, les pauvres
mots sacrés et bien souvent si tristes, à leur valeur
profane et au sens souriant qu'ils ont parmi les
hommes...

VANNA.

Je ne le ferai pas. Je comprends cet amour que
nous attendons tous au début de la vie et auquel on
renonce parce que les années, — quoique j'aie peu
d'années, — éteignent bien des choses... — Mais
quand après avoir repassé par Venise, on vous mit
sur mes traces, qu'était-il arrivé ?... Vous n'avez pas
cherché à vous retrouver en présence de celle que
vous aimiez ainsi ?...

PRINZIVALLE.

A Venise j'appris que votre mère était morte
ruinée, et que vous épousiez un grand seigneur tos-
can, l'homme le plus puissant, le plus riche de Pise,
qui allait faire de vous une sorte de reine adorée et
heureuse... Je n'avais à vous offrir que la misère
errante d'un aventurier sans patrie et sans gîte... Il
me sembla que le destin lui-même exigeait de l'a-
mour le sacrifice que je lui fis... J'ai tourné bien des
fois autour de cette ville, me retenant aux murs,
m'accrochant aux chaînes des portes, pour ne pas
succomber au désir de vous voir, et pour ne pas
troubler le bonheur et l'amour que vous aviez trou-
vés... Je louai mon épée, je fis deux ou trois guerres...
mon nom devint célèbre parmi les mercenaires...
J'attendis d'autres jours, sans plus rien espérer,
jusqu'à ce que Florence m'envoyât devant Pise...

VANNA.

Que les hommes sont faibles et lâches quand ils
aiment !... Ne vous y trompez point ; je ne vous
aime pas, et je ne saurais dire si je vous eusse aimé...
Mais cela fait bondir et crier dans mon cœur l'âme
même de l'amour, lorsque je vois qu'un homme
qui prétendait m'aimer comme il eût pu se faire que
j'eusse aimé moi-même, n'eut pas plus de courage en
face de l'amour...

PRINZIVALLE.

J'avais eu du courage... Il m'en avait fallu plus
que vous ne croyez pour pouvoir revenir... Mais il
était trop tard.

VANNA.

Il n'était pas trop tard quand vous quittiez
Venise. Il n'est jamais trop tard lorsqu'on trouve
l'amour qui remplit une vie... Il ne renonce point.
Quand il n'attend plus rien, il espère toujours...
Quand il n'espère plus, il s'évertue encore... Si
j'avais aimé comme vous j'aurais fait... Ah ! l'on ne
peut pas dire ce qu'on aurait pu faire... Mais je sais
bien que le hasard ne m'eût pas arraché sans lutte
mon espoir !... Je l'aurais poursuivi jour et nuit...
J'aurais dit au destin : « Va-t'en, c'est moi qui
passe... » J'aurais forcé les pierres à prendre mon
parti; et il eût bien fallu que celui que j'aimais l'ap-
prît et prononçât lui-même la sentence, et la prononçât plus d'une fois !...

PRINZIVALLE, *cherchant la main de Vanna.*

Tu ne l'aimes pas, Vanna ?...

VANNA.

Qui ?

PRINZIVALLE.

Guido ?...

VANNA, *retirant sa main.*

Ne cherchez pas ma main. Je ne la donne pas. Je
vois que mes paroles doivent être plus claires.
Quand Guido m'épousa, j'étais seule, presque pauvre. Une femme seule et pauvre, surtout quand elle
est belle et ne peut se plier aux mensonges habiles,
devient bientôt la proie de mille calomnies... Guido
n'y prit pas garde; il eut confiance en moi, et cette
foi me plut. Il m'a rendue heureuse, autant que
l'on peut l'être quand on a renoncé aux rêves un peu
fous qui ne semblent pas faits pour notre vie humaine... Et vous verrez aussi — car je l'espère
presque — que l'on peut être heureux sans passer
tous ses jours dans l'attente d'un bonheur que personne n'a connu... J'aime maintenant Guido d'un
amour moins étrange que celui que vous croyez
avoir, mais sans doute plus égal, plus fidèle et plus
sûr... Cet amour est celui que le sort m'a donné ; je
n'étais pas aveugle lorsque je l'acceptai ; je n'en
aurai pas d'autre ; et si quelqu'un le brise, ce ne sera
pas moi... Vous vous êtes mépris. Si j'ai des paroles
qui expliquent votre erreur, ce n'était pas pour vous,
ce n'était pas pour nous que je parlais ainsi; c'est au
nom d'un amour que le cœur entrevoit à la première

aurore, qui existe peut-être, mais qui n'est pas le
mien et qui n'est pas le vôtre, car vous n'avez pas
fait ce qu'un tel amour aurait fait...

PRINZIVALLE.

Vous le jugez bien durement, Vanna, et sans
savoir assez tout ce qu'il a subi, tout ce qu'il a dû
faire, pour amener enfin cette minute heureuse qui
désespérerait tous les autres amours... Mais quand
il n'eût rien fait, quand il n'eût rien tenté, je sais
bien qu'il existe, moi qui suis sa victime, moi qui le
porte ici, moi dont il prend la vie et en qui il éteint
tout ce qui fait la joie et la gloire des hommes...
Depuis qu'il m'a saisi, je n'ai pas fait un pas, je n'ai
pas fait un geste qui eût un autre but que de m'en
rapprocher, ne fût-ce qu'un instant, pour interroger mon destin sans vous nuire... Ah ! croyez-moi,
Vanna, et vous devez me croire, car on croit volontiers ceux qui n'espèrent et ne demandent rien...
Vous voilà maintenant sous ma tente et tout à ma
merci... Je n'ai qu'un mot à dire, à étendre les
bras, et je possède tout ce que peut posséder un
amour ordinaire... Mais aussi bien que moi vous
paraissez savoir que l'amour dont je parle a besoin
d'autre chose ; c'est pourquoi je demande que vous
n'en doutiez plus... Cette main que je prenais parce
que je pensais que vous alliez me croire, je n'y tou-
cherai plus ni des doigts ni des lèvres, mais que du

moins, Vanna, quand nous nous quitterons pour ne plus nous revoir, vous soyez convaincue que c'était cet amour qui vous a tant aimée et ne s'est arrêté que devant l'impossible !...

VANNA.

C'est parce que quelque chose lui parut impossible que j'espère encore en douter... Ne croyez pas que je me fusse réjouie à le voir surmonter des obstacles affreux, ni que je sois avide d'épreuves surhumaines... On raconte que, dans Pise, une femme jeta un jour l'un de ses gants dans la fosse aux lions, derrière le campanile, et pria son amant de l'y aller chercher. L'amant n'avait d'autre arme qu'une cravache de cuir. Pourtant, il descendit, écarta les lions, prit le gant, le rendit à la femme en s'agenouillant devant elle, s'éloigna sans rien dire, et ne revint jamais... Je trouve qu'il fut trop doux ; et puisqu'il avait sa cravache, il eût dû s'en servir pour inculquer à celle qui se jouait ainsi d'un sentiment divin, une notion plus exacte et plus vive des droits et des devoirs de l'amour véritable... Je n'exige donc pas que vous me fournissiez des preuves de ce genre ; je ne demande qu'à vous croire... C'est pour votre bonheur et pour le mien aussi que je voudrais douter... Il y a dans un amour exclusif comme le vôtre, quelque chose de sacré qui devrait inquiéter la femme la plus froide et la plus vertueuse... C'est pourquoi

j'examine ce que vous avez fait et serais presque
heureuse de n'y rien rencontrer qui portât le grand
signe de cette passion mortelle si rarement bénie...
Je serais presque sûre de ne l'y point trouver, si
votre dernier acte, où vous avez jeté follement dans
un gouffre, votre passé, votre avenir, votre gloire,
votre vie, tout ce que vous avez, pour me faire
venir une heure sous cette tente, ne me forçait à
dire que vous ne vous trompez peut-être pas...

PRINZIVALLE.

Ce dernier acte est le seul qui ne prouve rien...

VANNA.

Comment ?...

PRINZIVALLE.

J'aime mieux vous avouer la vérité. En vous faisant venir ici, pour sauver Pise en votre nom, je n'ai
rien sacrifié...

VANNA.

Je ne comprends pas bien... Vous n'avez pas trahi
votre patrie ? vous n'avez pas détruit votre passé ?

perdu votre avenir ?·vous ne vous êtes pas condamné
à l'exil et peut-être à la mort ?...

PRINZIVALLE.

D'abord, je n'ai point de patrie... Si j'en avais eu
une, quel que fût mon amour, je ne l'eusse pas
vendue, je pense, pour cet amour... Mais je ne suis
qu'un mercenaire, fidèle quand on lui est fidèle, et
qui trahit lorsqu'il se sent trahi... J'ai été accusé
faussement par les commissaires de Florence, et
condamné sans jugement par une république de
marchands, dont aussi bien que moi vous connaissez
les habitudes. Je me savais perdu. Ce que j'ai fait
ce soir, loin de me perdre davantage, me sauvera
peut-être, si un hasard quelconque peut encore
me sauver...

VANNA.

De sorte que vous m'avez sacrifié peu de chose ?

PRINZIVALLE.

Rien. Je devais vous le dire... Il ne me plairait
pas d'acheter par un mensonge un seul de vos sourires.

VANNA.

C'est bien, Gianello, et ceci vaut mieux que
l'amour et ses plus belles preuves... Tu n'auras pas
besoin de chercher plus longtemps la main qui te
fuyait. La voici...

PRINZIVALLE.

Ah ! j'aurais mieux aimé que l'amour l'eût conquise !... Mais qu'importe après tout !... Elle est à
moi, Vanna, je la tiens dans les miennes, j'en regarde
la nacre, j'en respire la vie, je m'enivre un instant
d'une illusion trop douce ; j'en étreins la tiède fraîcheur, je la prends, je l'étends, je la ferme, comme si
elle allait me répondre dans la langue magique et
secrète des amants ; et je la couvre de baisers sans
que tu la retires... Tu ne m'en veux donc pas de la
cruelle épreuve ?...

VANNA.

J'aurais fait la même chose ; peut-être mieux ou
pis, si j'avais été à ta place...

PRINZIVALLE.

Mais quand tu acceptas de venir sous ma tente, tu
savais qui j'étais ?...

VANNA.

Personne ne le savait. Il courait sur le chef de l'armée ennemie des bruits assez bizarres... Pour les uns, tu étais un vieillard effrayant; pour d'autres, un jeune prince d'une beauté merveilleuse...

PRINZIVALLE.

Mais le père de Guido, qui m'avait vu, ne t'avait donc rien dit ?...

VANNA.

Non.

PRINZIVALLE.

Tu ne l'as pas interrogé ?...

VANNA.

Non.

PRINZIVALLE.

Mais alors, quand tu vins sans défense dans la nuit, te livrer au barbare inconnu, ta chair n'a pas frémi, ton cœur n'a pas tremblé ?...

VANNA.

Non ; il fallait venir...

PRINZIVALLE.

Et quand tu m'aperçus, tu n'as pas hésité ?...

VANNA.

Tu ne te rappelles pas ?... Je ne vis rien d'abord,
à cause de ces linges...

PRINZIVALLE.

Oui, mais après, Vanna, quand je les écartai ?...

VANNA.

C'était tout autre chose ; et je savais déjà... Mais
toi, quand tu me vis pénétrer dans la tente, quel était
ton dessein ?... Comptais-tu donc vraiment abuser
jusqu'au bout de l'affreuse détresse ?...

PRINZIVALLE.

Ah ! je ne savais pas ce que je comptais faire !...
Je me sentais perdu ; et je voulais tout perdre... Et je
te haïssais à cause de l'amour... Certes, je l'aurais fait

si ce n'eût été toi... Mais tout autre que toi m'aurait paru odieuse... Il aurait fallu que toi-même ne fusses plus semblable à ce que tu étais... Je m'y perds quand j'y songe... Il eût suffi d'un mot qui fût différent de tes mots ; il eût suffi d'un geste qui ne fût pas ton geste ; il eût suffi d'un rien, pour enflammer la haine et déchaîner le monstre... Mais, dès que je te vis, je vis en même temps que c'était impossible...

VANNA.

Moi, je le vis aussi et ne te craignis plus ; car nous nous entendions sans avoir besoin de rien dire... C'est curieux, quand j'y pense... Je crois que j'aurais fait tout ce que tu as fait si j'aimais comme toi.. Il me semble parfois que je suis à ta place, que c'est toi qui m'écoutes, et que c'est moi qui dis tout ce que tu me dis...

PRINZIVALLE.

Et moi aussi, Vanna, dès le premier moment j'ai senti que le mur qui nous sépare, hélas ! de tous les autres êtres, devenait transparent, et j'y plongeais les mains, j'y plongeais les regards comme dans une onde fraîche, et les en retirais ruisselants de lumière, ruisselants de confiance et de sincérité... Il me semblait aussi que les hommes changeaient ; que je m'étais trompé sur eux jusqu'à ce jour... Il me sem-

blait surtout que je changeais moi-même, que je sor-
tais enfin d'une longue prison, que les portes s'ouvraient, que des fleurs et des feuilles écartaient les
barreaux, que l'horizon venait emporter chaque
pierre, que l'air pur du matin pénétrait dans mon
âme et baignait mon amour...

VANNA.

Moi aussi, je changeais... J'étais bien étonnée de
pouvoir te parler comme je t'ai parlé dès le premier
moment... Je suis très silencieuse... Je n'ai jamais
parlé ainsi à aucun homme, si ce n'est à Marco, le
père de Guido... Et, même auprès de lui, ce n'est pas
la même chose... Puis il a mille rêves qui le prennent
tout entier; et nous n'avons causé que trois ou quatre
fois... Les autres ont toujours un désir dans les yeux
qui ne permettrait pas de leur dire qu'on les aime, et
qu'on voudrait savoir ce qu'il y a dans leur cœur.
Et dans tes yeux aussi il y a un désir; mais il n'est pas
le même ; il ne répugne point, et il ne fait pas peur...
j'ai senti tout de suite que je te connaissais sans que
je me souvinsse de t'avoir jamais vu...

PRINZIVALLE.

Aurais-tu pu m'aimer si mon mauvais destin ne
m'eût fait revenir lorsqu'il était trop tard ?

VANNA.

Si je pouvais te dire que je t'aurais aimé, ne serait-ce pas t'aimer déjà, Gianello ? et tu sais comme moi que ce n'est point possible. Mais nous parlons ici comme si nous étions dans une île déserte... Si j'étais seule au monde, il n'y aurait rien à dire. Mais nous oublions trop tout ce qu'un autre souffre pendant que nous sommes là, à sourire au passé... Quand je sortis de Pise, la douleur de Guido, l'angoisse de sa voix, la pâleur de sa face... Je ne puis plus attendre !... L'aurore doit être proche, et j'ai hâte de savoir... Mais j'entends que l'on marche... Quelqu'un frôle la tente ; et le hasard lui-même a plus de cœur que nous... On chuchote à l'entrée... Ecoute, écoute... Qu'est-ce ?...

SCÈNE IV

LES MÊMES, VEDIO

(*On entend des chuchotements et des pas précipités autour de la tente ; puis la voix de Vedio qui appelle du dehors.*)

VEDIO, *au dehors.*

Maître !...

PRINZIVALLE.

C'est la voix de Vedio... Entre !... Qu'est-ce ?...

VEDIO, *à l'entrée de la tente.*

J'ai couru... Fuyez, maître !... Il est temps...
Messer Maladura, le second commissaire de Florence...

PRINZIVALLE.

Il était à Bibbiena...

VEDIO.

Il est revenu... Il amène six cents hommes... Ce
sont des Florentins... Je les ai vus passer... Le camp
est en émoi... Il apporte des ordres... Il vous proclame traître... Il cherche Trivulzio... Je crains qu'il
ne le trouve avant que vous puissiez...

PRINZIVALLE.

Viens, Vanna...

VANNA.

Où me faut-il aller ?...

PRINZIVALLE.

Vedio, avec deux hommes sûrs, te conduira dans
Pise...

VANNA.

Et toi, où iras-tu ?...

PRINZIVALLE.

Je ne sais ; peu importe, le monde est assez vaste
pour m'offrir un refuge...

VEDIO.

Oh ! maître, prenez garde... Ils tiennent la campagne tout autour de la ville; et toute la Toscane
est pleine d'espions...

VANNA.

Viens à Pise.

PRINZIVALLE.

Avec toi ?...

VANNA.

Oui.

PRINZIVALLE.

Je ne puis...

VANNA.

Ne fût-ce que quelques jours... Tu échapperais ainsi aux premières poursuites...

PRINZIVALLE.

Que fera ton mari ?...

VANNA.

Il sait autant que toi ce qu'il doit à un hôte..

PRINZIVALLE.

Il te croira lorsque tu lui diras ?...

VANNA.

Oui. — S'il ne me croyait pas... Mais ce n'est pas possible... — Viens...

PRINZIVALLE.

Non.

VANNA.

Pourquoi ? — Que crains-tu donc ?...

PRINZIVALLE.

C'est pour toi que je crains...

VANNA.

Pour moi, que je sois seule ou que tu m'accompa-
gnes, le danger est le même. — C'est pour toi qu'il
faut craindre. — Tu viens de sauver Pise ; il est
juste qu'elle te sauve... Tu y viens sous ma garde ;
et je réponds de toi...

PRINZIVALLE.

Je t'accompagnerai...

VANNA.

C'est la meilleure preuve que ton amour me donne...
Viens...

PRINZIVALLE.

Ta bléssure ?...

VANNA.

La tienne est bien plus grave...

PRINZIVALLE.

Ne t'en occupe point... Ce n'est pas la première...
Mais la tienne... On dirait que le sang... (*Il avance
la main pour écarter le manteau.*)

VANNA, *arrêtant son geste et serrant plus étroitement
le manteau sur sa gorge.*

Non... non, Gianello... Nous ne sommes plus ennemis... — J'ai froid...

PRINZIVALLE.

Ah ! j'allais oublier que tu es presque nue pour
affronter la nuit, et c'est moi le barbare qui l'ai
voulu ainsi... — Mais voici les grands coffres où
j'entassais pour toi le butin de la guerre... Voici des
robes d'or, des manteaux de brocart...

VANNA, *prenant au hasard des voiles dont elle*
s'enveloppe.

Non; ces voiles suffisent... J'ai hâte de te sauver...
Viens, ouvre-moi la tente...

> (*Prinzivalle suivi de Vanna, se dirige vers l'en-*
> *trée et l'ouvre toute grande. Une confuse*
> *rumeur, que domine un bruit de cloches exaltées*
> *et lointaines, envahit brusquement le silence*
> *de la nuit ; tandis que par la baie mouvante*
> *de la tente, on voit à l'horizon Pise tout illu-*
> *minée, semée de feux de joie, et projetant dans*
> *l'azur encore sombre un énorme nimbe de*
> *clarté.*)

PRINZIVALLE.

Vanna, Vanna !... Regarde !...

VANNA.

Qu'est-ce, Gianello ?... — Oh ! je comprends
aussi !... Ce sont les feux de joie qu'ils viennent d'al-
lumer pour célébrer ton œuvre... Les murs en sont
couverts, les remparts sont en flamme, le campanile
brûle comme une torche heureuse !... Toutes les
tours resplendissent et répondent aux étoiles !...
Les rues forment des routes de lumière dans le ciel!...
Je reconnais leurs traces ; je les suis dans l'azur
comme je les suivais ce matin sur les dalles !...
Voici la Piazza et son dôme de feu ; et le Campo-
Santo qui fait une île d'ombre... On dirait que la

vie qui se sentait perdue, revient en toute hâte,
éclate le long des flèches, rejaillit sur les pierres,
déborde des murailles, inonde la campagne, vient
à notre rencontre et nous rappelle aussi... —
Ecoute, écoute donc... N'entends-tu pas les cris
et le délire immense qui monte comme si la mer
avait envahi Pise ; et les cloches qui chantent
comme au jour de mes noces ?... Ah ! je suis trop
heureuse, et deux fois trop heureuse, en face de ce
bonheur que je dois à celui qui m'a le mieux
aimée !... Viens, mon Gianello. (*Lui donnant un
baiser sur le front.*) — Voici le seul baiser que
je puisse te donner...

PRINZIVALLE.

Oh ! ma Giovanna !... Il passe les plus beaux que
l'amour espérait !... — Mais qu'as-tu ?... Tu chan-
celles et tes genoux fléchissent.. Viens, appuie-toi
sur moi ; mets ton bras sur mon cou...

VANNA.

Ce n'est rien... Je te suis... C'est l'éblouissement...
J'avais trop demandé aux forces de la femme...
Soutiens-moi, porte-moi, pour que rien ne retarde
mes premiers pas heureux... — Ah ! que la nuit est
belle dans l'aurore qui se lève !... Hâtons-nous, il est
temps... Il nous faut arriver avant que la joie soit
éteinte...

Ils sortent enlacés.

L'OISEAU BLEU [1]

PREMIER TABLEAU

————

PERSONNAGES DU PREMIER TABLEAU

TYLTYL.
MYTYL.
LA LUMIÈRE.
LA FÉE BERYLUNE.
LA VOISINE BERLINGOT.
LE PÈRE TYL.
LA MÈRE TYL.
LE CHIEN (NOMMÉ TYLO).
LE CHAT (NOMMÉ TYLETTE).
LE PAIN.
LE SUCRE.
LE FEU.
L'EAU.

————

[1] Féerie en 5 actes. Eugène Fasquelle, éditeur, 1909.

ACTE PREMIER

La Maison du Bûcheron

Le théâtre représente l'intérieur d'une cabane de bûcheron simple, rustique, mais non point misérable. — Cheminée à manteau où s'assoupit un feu de bûches. — Ustensiles de cuisine, armoire, huche, horloge à poids, rouet, fontaine, etc. — Sur une table, une lampe allumée. — Au pied de l'armoire, de chaque côté de celle-ci, endormis, pelotonnés, le nez sous la queue, un Chien et un Chat. — Entre eux deux, un grand pain de sucre blanc et bleu. — Accrochée au mur, une cage ronde renfermant une tourterelle. — Au fond, deux fenêtres, dont les volets intérieurs sont fermés. — Sous l'une des fenêtres, un escabeau. — A gauche, la porte d'entrée de la maison, munie d'un gros loquet. — A droite, une autre porte. — Echelle menant à un grenier.—Egalement à droite, deux petits lits d'enfants, au chevet desquels, sur deux chaises, des vêtements se trouvent soigneusement pliés.

(Au lever du rideau, Tyltyl et Mytyl sont profondé-
ment endormis dans leurs petits lits. La mère Tyl
les borde une dernière fois, se penche sur eux,
contemple un moment leur sommeil, et appelle de
la main le père Tyl qui passe la tête dans l'en-
tre-bâillement de la porte. La Mère Tyl met un
doigt sur les lèvres pour lui commander le
silence, puis sort à droite sur la pointe des pieds,
après avoir éteint la lampe. — La scène reste
obscure un instant, puis une lumière dont
l'intensité augmente peu à peu filtre par les
lames des volets. La lampe sur la table se ral-
lume d'elle-même ; mais sa flamme est d'une
autre couleur que lorsque la Mère Tyl l'étei-
gnit. Les deux enfants semblent s'éveiller et se
mettent sur leur séant.)

TYLTYL.

Mytyl ?

MYTYL.

Tyltyl ?

TYLTYL.

Tu dors ?

MYTYL.

Et toi ?...

TYLTYL.

Mais non, je dors pas puisque je te parle...

MYTYL.

C'est Noël, dis ?...

TYLTYL.

Pas encore ; c'est demain. Mais le petit Noël n'apportera rien cette année...

MYTYL.

Pourquoi ?...

TYLTYL.

J'ai entendu maman qui disait qu'elle n'avait pu aller à la ville pour le prévenir... Mais il viendra l'année prochaine...

MYTYL.

C'est long, l'année prochaine ?...

TYLTYL.

Ce n'est pas trop court... Mais il vient cette nuit
chez les enfants riches...

MYTYL.

Ah !...

TYLTYL.

Tiens !... Maman a oublié la lampe !... J'ai une
idée ?...

MYTYL.

?...

TYLTYL.

Nous allons nous lever...

MYTYL.

C'est défendu...

TYLTYL.

Puisqu'il n'y a personne. Tu vois les volets... ?

MYTYL.

Oh ! qu'ils sont clairs !...

TYLTYL.

C'est les lumières de la fête.

MYTYL.

Quelle fête ?

TYLTYL.

En face, chez les petits riches. C'est l'arbre de Noël. Nous allons les ouvrir...

MYTYL.

Est-ce qu'on peut ?

TYLTYL.

Bien sûr, puisqu'on est seuls... Tu entends la musique ?... Levons-nous...

(*Les deux enfants se lèvent, courent à l'une
des fenêtres, montent sur l'escabeau et
poussent les volets. Une vive clarté pénètre
dans la pièce. Les enfants regardent avidement au dehors.*)

TYLTYL.

On voit tout !...

MYTYL, *qui ne trouve qu'une place précaire
sur l'escabeau.*

Je vois pas...

TYLTYL.

Il neige !... Voilà deux voitures à six chevaux !...

MYTYL.

Il en sort douze petits garçons !...

TYLTYL.

T'es bête !... C'est des petites filles...

MYTYL.

Ils ont des pantalons.

TYLTYL.

Tu t'y connais pas... Ne me pousse pas ainsi !...

MYTYL.

Je t'ai pas touché.

TYLTYL, *qui occupe à lui seul tout l'escabeau.*
Tu prends toute la place...

MYTYL.

Mais j'ai pas du tout de place !...

TYLTYL.

Tais-toi donc, on voit l'arbre !...

MYTYL.

Quel arbre ?...

TYLTYL.

Mais l'arbre de Noël !... Tu regardes le mur !...

MYTYL.

Je regarde le mur parce qu'y a pas de place...

TYLTYL, *lui cédant une petite place avare sur l'esca-*
beau.

Là!... En as-tu assez ?...C'est-y pas la meilleure ?...
Il y en a des lumières ! Il y en a!...

MYTYL.

Qu'est-ce qu'ils font donc ceux qui font tant de
bruit ?...

TYLTYL.

Ils font de la musique.

MYTYL.

Est-ce qu'ils sont fâchés ?

TYLTYL.

Non, mais c'est fatigant.

MYTYL.

Encore une voiture avec des chevaux blancs !...

TYLTYL.

Tais-toi !... Regarde donc !...

MYTYL.

Qu'est-ce qui pend comme ça, en or, après les branches ?...

TYLTYL.

Mais les jouets, pardi !... Des sabres, des fusils, des soldats, des canons...

MYTYL.

Et des poupées, dis, est-ce qu'on en a mis ?...

TYLTYL.

Des poupées ?... C'est trop bête ; ça ne les amuse pas...

MYTYL.

Et autour de la table, qu'est-ce que c'est que tout
ça ?...

TYLTYL.

C'est des gâteaux, des fruits, des tartes à la
crème.....

MYTYL.

J'en ai mangé une fois, lorsque j'étais pétite...

TYLTYL.

Moi aussi ; c'est meilleur que le pain, mais on en
a trop peu...

MYTYL.

Ils n'en ont pas trop peu... Il y en a plein la
table... Est-ce qu'ils vont les manger ?...

TYLTYL.

Bien sûr ; qu'en feraient-ils ?...

MYTYL.

Pourquoi qu'ils ne les mangent pas tout de suite ?...

TYLTYL.

Parce qu'ils n'ont pas faim...

MYTYL, *stupéfaite*.

Ils n'ont pas faim ?... Pourquoi ?...

TYLTYL.

C'est qu'ils mangent quand ils veulent...

MYTYL, *incrédule*.

Tous les jours ?...

TYLTYL.

On le dit...

MYTYL.

Est-ce qu'ils mangeront tout ?... Est-ce qu'ils en donneront ?...

TYLTYL.

A qui ?...

MYTYL.

A nous.

TYLTYL.

Ils ne nous connaissent pas...

MYTYL.

Si on leur demandait ?...

TYLTYL.

Cela ne se fait pas.

MYTYL.

Pourquoi ?...

TYLTYL.

Parce que c'est défendu.

MYTYL, *battant des mains.*

Oh ! qu'ils sont donc jolis !...

TYLTYL, *enthousiasmé.*

Et ils rient et ils rient !...

MYTYL.

Et les petits qui dansent !...

TYLTYL.

Oui, oui, dansons aussi !... (*Ils trépignent de joie
sur l'escabeau.*)

MYTYL.

Oh ! que c'est amusant !...

TYLTYL.

On leur donne les gâteaux !... Ils peuvent y toucher !... Ils mangent ! ils mangent ! ils mangent !...

MYTYL.

Les plus petits aussi !... Ils en ont deux, trois,
quatre !...

TYLTYL, *ivre de joie.*

Oh ! c'est bon !... Que c'est bon! que c'est bon !...

MYTYL, *comptant des gâteaux imaginaires.*

Moi j'en ai reçu douze !...

TYLTYL.

Et moi quatre fois douze!... Mais je t'en donnerai...
(*On frappe à la porte de la cabane.*)

TYLTYL, *subitement calmé et effrayé.*

Qu'est-ce que c'est ?...

MYTYL, *épouvanté.*

C'est papa !...

(*Comme ils tardent à ouvrir, on voit le gros
loquet se soulever de lui-même, en grin-
çant ; la porte s'entre-bâille pour livrer
passage à une petite vieille habillée de
vert et coiffée d'un chaperon rouge. Elle est
bossue, boiteuse, borgne ; le nez et le men-
ton se rencontrent, et elle marche courbée
sur un bâton. Il n'est pas douteux que ce
soit une fée.*)

LA FÉE.

Avez-vous ici l'herbe qui chante ou l'oiseau qui est bleu ?...

TYLTYL.

Nous avons de l'herbe, mais elle ne chante pas...

MYTYL.

Tyltyl a un oiseau.

TYLTYL.

Mais je ne peux pas le donner...

LA FÉE.

Pourquoi ?...

TYLTYL.

Parce qu'il est à moi.

LA FÉE.

C'est une raison, bien sûr. Où est-il cet oiseau ?...

TYLTYL, *montrant la cage.*

Dans la cage...

LA FÉE, *mettant ses besicles pour examiner l'oiseau.*

Je n'en veux pas ; il n'est pas assez bleu. Il faudra que vous alliez me chercher celui dont j'ai besoin.

TYLTYL.

Mais je ne sais pas où il est...

LA FÉE.

Moi non plus. C'est pourquoi il faut le chercher. Je puis à la rigueur me passer de l'herbe qui chante ; mais il me faut absolument l'oiseau bleu. C'est pour ma petite fille qui est très malade.

TYLTYL.

Qu'est-ce qu'elle a ?...

LA FÉE.

On ne sait pas au juste ; elle voudrait être heureuse.

TYLTYL.

Ah?...

LA FÉE.

Savez-vous qui je suis ?...

TYLTYL.

Vous ressemblez un peu à notre voisine, Madame Berlingot...

LA FÉE, *se fâchant subitement.*

En aucune façon... Il n'y a aucun rapport... C'est abominable !... Je suis la fée Bérylune...

TYLTYL.

Ah ! très bien...

LA FÉE.

Il faudra partir tout de suite.

TYLTYL.

Vous viendrez avec nous ?...

LA FÉE.

C'est absolument impossible, à cause du pot-au-feu que j'ai mis ce matin et qui s'empresse de déborder chaque fois que je m'absente plus d'une heure... (*Montrant successivement le plafond, la cheminée et la fenêtre.*) Voulez-vous sortir par ici, par là ou par là ?...

TYLTYL, *montrant timidement la porte.*

J'aimerais mieux sortir par là...

LA FÉE, *se fâchant encore subitement.*

C'est absolument impossible, et c'est une habitude révoltante !... (*Désignant la fenêtre.*) Nous sortirons par là... Eh bien ?... Qu'attendez-vous ?... Habillez-vous tout de suite... (*Les enfants obéissent et s'habillent rapidement.*) Je vais aider Mytyl...

TYLTYL.

Nous n'avons pas de souliers...

LA FÉE.

Ça n'a pas d'importance. Je vais vous donner un petit chapeau merveilleux. Où sont donc vos parents ?...

TYLTYL, *montrant la porte à droite.*

Ils sont là ; ils dorment...

LA FÉE.

Et votre bon-papa et votre bonne-maman ?...

TYLTYL.

Ils sont morts...

LA FÉE.

Et vos petits frères et vos petites sœurs... Vous en avez ?...

TYLTYL.

Oui, oui ; trois petits frères...

MYTYL.

Et quatre petites sœurs...

LA FÉE.

Où sont-ils ?...

TYLTYL.

Ils sont morts aussi...

LA FÉE.

Voulez-vous les revoir ?...

TYLTYL.

Oh oui ! ... Tout de suite !... Montrez-les !...

LA FÉE.

Je ne les ai pas dans ma poche... Mais ça tombe à merveille; vous les reverrez en passant par le pays du Souvenir. C'est sur la route de l'Oiseau-Bleu. Tout de suite à gauche, après le troisième carrefour. Que faisiez-vous quand j'ai frappé ?...

TYLTYL.

Nous jouions à manger des gâteaux.

LA FÉE.

Vous avez des gâteaux... Où sont-ils ?...

TYLTYL.

Dans le palais des enfants riches... Venez voir, c'est si beau...

(*Il entraîne la Fée vers la fenêtre.*)

LA FÉE, *à la fenêtre.*

Mais ce sont les autres qui les mangent !...

TYLTYL.

Oui ; mais puisqu'on voit tout...

LA FÉE.

Tu ne leur en veux pas ?...

TYLTYL.

Pourquoi ?...

LA FÉE.

Parce qu'ils mangent tout. Je trouve qu'ils ont
grand tort de ne pas t'en donner...

TYLTYL.

Mais non, puisqu'ils sont riches... Hein ? que c'est
beau chez eux !...

LA FÉE.

Ce n'est pas plus beau que chez toi.

TYLTYL.

Heu !... Chez nous c'est plus noir, plus petit,
sans gâteaux...

LA FÉE.

C'est absolument la même chose ; c'est que tu n'y
vois pas...

TYLTYL.

Mais si, j'y vois très bien et j'ai de très bons yeux.
Je lis l'heure au cadran de l'église que papa ne voit
pas...

LA FÉE, *se fâchant subitement.*

Je te dis que tu n'y vois pas !... Comment donc me
vois-tu ?... Comment donc suis-je faite ?... (*Silence
gêné de Tyltyl.*) Eh bien, répondras-tu ? que je sache
si tu vois ?... Suis-je belle ou bien laide ?... (*Silence
de plus en plus embarrassé.*) Tu ne veux pas répondre ?... Suis-je jeune ou bien vieille ?... Suis-je rose
ou bien jaune ?... j'ai peut-être une bosse ?...

TYLTYL, *conciliant.*

Non, non, elle n'est pas grande...

LA FÉE.

Mais si, à voir ton air, on la croirait énorme... Ai-je
le nez crochu et l'œil gauche crevé ?...

TYLTYL.

Non, non, je ne dis pas... Qui est-ce qui l'a crevé ?...

LA FÉE, *de plus en plus irritée.*

Mais il n'est pas crevé !... Insolent ! misérable !...
Il est plus beau que l'autre ; il est plus grand, plus
clair, il est bleu comme le ciel... Et mes cheveux,
vois-tu ?... Ils sont blonds comme les blés... on dirait
de l'or vierge !... Et j'en ai tant et tant que la tête me
pèse... Ils s'échappent de partout... Les vois-tu sur
mes mains ?...

(*Elle étale deux maigres mèches de cheveux gris.*)

TYLTYL.

Oui, j'en vois quelques-uns...

LA FÉE, *indignée*.

Quelques-uns !... Des gerbes ! des brassées ! des
touffes ! des flots d'or !... Je sais bien que des gens
disent qu'ils n'en voient point ; mais tu n'es pas de ces
méchantes gens aveugles, je suppose ?...

TYLTYL.

Non, non, je vois très bien ceux qui ne se cachent
point...

LA FÉE.

Mais il faut voir les autres avec la même audace !...
C'est bien curieux, les hommes... Depuis la mort des
fées, ils n'y voient plus du tout et ne s'en doutent
point... Heureusement que j'ai toujours sur moi tout
ce qu'il faut pour rallumer les yeux éteints...
Qu'est-ce que je sors de mon sac ?...

TYLTYL.

Oh ! le joli petit chapeau vert !... Qu'est-ce qui
brille ainsi sur la cocarde... ?

LA FÉE.

C'est le gros diamant qui fait voir...

TYLTYL.

Ah !...

LA FÉE.

Oui ; quand on a le chapeau sur la tête, on tourne un peu le diamant : de droite à gauche, par exemple, tiens, comme ceci, vois-tu ?... Il appuie alors sur une bosse de la tête que personne ne connaît, et qui ouvre les yeux...

TYLTYL.

Ça ne fait pas de mal ?...

LA FÉE.

Au contraire, il est fée... On voit à l'instant même ce qu'il y a dans les choses ; l'âme du pain, du vin, du poivre, par exemple...

MYTYL.

Est-ce qu'on voit aussi l'âme du sucre ?...

LA FÉE, *subitement fâchée.*

Cela va sans dire !... Je n'aime pas les questions
inutiles... L'âme du sucre n'est pas plus intéressante
que celle du poivre... Voilà, je vous donne ce que
j'ai pour vous aider dans la recherche de l'Oiseau-
Bleu... Je sais bien que l'Anneau-qui-rend-invisible
ou le Tapis-Volant vous seraient plus utiles... Mais
j'ai perdu la clef de l'armoire où je les ai serrés... Ah !
j'allais oublier... (*Montrant le diamant.*) Quand on le
tient ainsi, tu vois... un petit tour de plus, on revoit
le passé... Encore un petit tour, et l'on voit l'avenir... C'est curieux et pratique et ça ne fait pas de
bruit...

TYLTYL.

Papa me le prendra...

LA FÉE.

Il ne le verra pas ; personne ne peut le voir, tant

qu'il est sur la tête... Veux-tu l'essayer ?... (*Elle coiffe Tyltyl du petit chapeau vert.*) A présent, tourne le diamant ... Un tour et puis après...

(*A peine Tyltyl a-t-il tourné le diamant, qu'un changement soudain et prodigieux s'opère en toutes choses. La vieille fée est tout à coup une belle princesse merveilleuse ; les cailloux dont sont bâtis les murs de la cabane s'illuminent, bleuissent comme des saphirs, deviennent transparents, scintillent, éblouissent à l'égal des pierres les plus précieuses. Le pauvre mobilier s'anime et resplendit ; la table de bois blanc s'affirme aussi grave, aussi noble qu'une table de marbre, le cadran de l'horloge cligne de l'œil et sourit avec aménité, tandis que la porte derrière quoi va et vient le balancier s'entr'ouvre et laisse s'échapper les heures, qui, se tenant les mains et riant aux éclats, se mettent à danser aux sons d'une musique délicieuse. Effarement légitime de Tyltyl qui s'écrie en montrant les Heures*) :

TYLTYL.

Qu'est-ce que c'est que toutes ces belles dames ?...

LA FÉE.

N'aie pas peur ; ce sont les heures de ta vie qui sont heureuses d'être libres et visibles un instant...

TYLTYL.

Et pourquoi que les murs sont si clairs ?... Est-ce qu'ils sont en sucre ou en pierres précieuses ?...

LA FÉE.

Toutes les pierres sont pareilles, toutes les pierres sont précieuses : mais l'homme n'en voit que quelques-unes...

(*Pendant qu'ils parlent ainsi, la féerie continue et se complète. Les âmes des Pains-de-quatre-livres, sous la forme de bonshommes en maillots couleur croûte-de-pain, ahuris et poudrés de farine, se dépêtrent de la huche et gambadent autour de la table où ils sont rejoints par le Feu, qui, sorti de l'âtre en maillot soufre et vermillon, les poursuit en se tordant de rire.*)

TYLTYL.

Qu'est-ce que c'est que ces vilains bonshommes ?...

LA FÉE.

Rien de grave ; ce sont les âmes des Pains-de-quatre-livres qui profitent du règne de la vérité pour sortir de la huche où elles se trouvaient à l'étroit...

TYLTYL.

Et le grand diable rouge qui sent mauvais ?...

LA FÉE.

Chut !... Ne parle pas trop haut, c'est le Feu... Il a mauvais caractère.

> (Ce dialogue n'a pas interrompu la féerie. Le
> Chien et le Chat, couchés en rond au pied de
> l'armoire, poussant simultanément un grand
> cri, disparaissent dans une trappe, et à leur

place surgissent deux personnages, dont l'un
porte un masque de bouledogue, et l'autre une
tête de matou. Aussitôt, le petit homme au
masque de bouledogue — que nous appelle-
rons dorénavant le Chien — se précipite sur
Tyltyl qu'il embrasse violemment et accable
de bruyantes et impétueuses caresses, cepen-
dant que le petit homme au masque de ma-
tou — que nous appellerons plus simple-
ment le Chat — se donne un coup de peigne,
se lave les mains et se lisse la moustache,
avant de s'approcher de Mytyl.)

LE CHIEN, *hurlant, sautant, bousculant tout,*
insupportable.

Mon petit dieu !... Bonjour ! bonjour, mon petit
dieu !... Enfin, enfin, on peut parler ! J'avais tant de
choses à te dire !... J'avais beau aboyer et remuer la
queue !... Tu ne comprenais pas !... Mais maintenant !
Bonjour ! bonjour !... Je t'aime !... Je t'aime...
Veux-tu que je fasse quelque chose d'étonnant ?...
Veux-tu que je fasse le beau ?... Veux-tu que je
marche sur les mains ou que je danse à la corde ?...

TYLTYL, *à la Fée.*

Qu'est-ce que c'est que ce monsieur à tête de
chien ?...

LA FÉE.

Mais tu ne vois donc pas ?... C'est l'âme de Tylöque tu as délivrée...

LE CHAT, *s'approchant de Mytyl et lui tendant la main cérémonieusement, avec circonspection.*

Bonjour, Mademoiselle... Que vous êtes jolie ce matin !...

MYTYL.

Bonjour, Monsieur... (*A la Fée*). Qui est-ce ?...

LA FÉE.

C'est facile à voir ; c'est l'âme de Tylette qui te tend la main... Embrasse-la...

LE CHIEN, *bousculant le Chat.*

Moi aussi !... J'embrasse le petit dieu !... J'embrasse la petite fille !... J'embrasse tout le monde !...

Chic !... On va s'amuser !... Je vais faire peur à Tylette !... Hou ! hou ! hou !...

LE CHAT.

Monsieur, je ne vous connais pas...

LA FÉE, *menaçant le Chien de sa baguette.*

Toi, tu vas te tenir bien tranquille ; sinon tu rentreras dans le silence, jusqu'à la fin des temps...

> *(Cependant, la féerie a poursuivi son cours : le Rouet s'est mis à tourner vertigineusement dans son coin en filant de splendides rayons de lumière ; la Fontaine, dans l'autre angle, se prend à chanter d'une voix suraiguë et, se transformant en fontaine lumineuse, inonde l'évier de nappes de perles et d'émeraudes, à travers lesquelles s'élance l'âme de l'Eau, pareille à une jeune fille ruisselante, échevelée, pleurarde, qui va incontinent se battre avec le Feu.)*

TYLTYL.

Et la dame mouillée ?...

LA FÉE.

N'aie pas peur, c'est l'Eau qui sort du robinet...

(Le Pot-au-lait se renverse, tombe de la table, se brise sur le sol ; et du lait répandu s'élève une grande forme blanche et pudibonde qui semble avoir peur de tout).

TYLTYL.

Et la dame en chemise qui a peur ?...

LA FÉE.

C'est le Lait qui a cassé son pot...

(Le Pain-de-sucre posé au pied de l'armoire grandit, s'élargit et crève son enveloppe de papier d'où émerge un être doucereux et papelard, vêtu d'une souquenille mi-partie de blanc et de bleu qui, souriant béatement, s'avance vers Mytyl).

MYTYL, *avec inquiétude.*

Que veut-il ?...

LA FÉE.

Mais c'est l'âme du Sucre !...

MYTYL, *rassurée.*

Est-ce qu'il a des sucres d'orge ?...

LA FÉE.

Mais il n'a que ça dans ses poches, et chacun de ses doigts en est un...

> (*La Lampe tombe de la table, et aussitôt tombée, sa flamme se redresse et se transforme en une lumineuse Vierge d'une incomparable beauté. Elle est vêtue de longs voiles transparents et éblouissants, et se tient immobile en une sorte d'extase*).

TYLTYL.

C'est la Reine !...

MYTYL.

C'est la Sainte-Vierge !...

LA FÉE

Non, mes enfants, c'est la Lumière..

> (*Cependant les casseroles, sur les rayons,
> tournent comme des toupies hollandaises,
> l'armoire à linge claque ses battants et com-
> mence un magnifique déroulement d'étoffes
> couleur de lune et de soleil, auquel se mêlent,
> non moins splendides, des chiffons et des gue-
> nilles qui descendent l'échelle du grenier.
> Mais voici que trois coups assez rudes sont
> frappés à la porte de droite*).

TYLTYL, *effrayé*.

C'est papa... Il nous a entendus !...

LA FÉE.

Tourne le diamant !... De gauche à droite !...
(*Tyltyl tourne vivement le diamant*). Pas si vite !...
Mon Dieu ! Il est trop tard !... Tu l'as tourné trop
brusquement. Ils n'auront pas le temps de reprendre
leur place, et nous aurons bien des ennuis... (*La Fée
redevient vieille femme, les murs de la cabane éteignent leurs splendeurs, les Heures rentrent dans
l'horloge, le rouet s'arrête, etc. Mais dans la hâte et
le désarroi général, tandis qui le Feu court follement
autour de la pièce, à la recherche de la cheminée, un des
Pains-de-quatre-livres, que n'a pu retrouver place
dans la huche, éclate en sanglots tout en poussant des
rugissements d'épouvante*). Qu'y a-t-il ?...

LE PAIN, *tout en larmes*.

Il n'y a plus de place dans la huche !...

LA FÉE, *se penchant sur la huche*.

Mais si, mais si... (*Poussant les autres pains qui
ont repris leur place primitive*). Voyons, vite, ran-
gez-vous...

(*On heurte encore à la porte*).

LE PAIN, *éperdu, s'efforçant vainement d'entrer dans la huche.*

Il n'y a pas moyen !... Il me mangera le premier !...

LE CHIEN, *gambadant autour de Tyltyl.*

Mon petit dieu !... Je suis encore ici !... Je puis encore parler ! Je puis encore t'embrasser !... Encore ! encore ! encore !...

LA FÉE.

Comment, toi aussi ?... Tu es encore là ?...

LE CHIEN.

J'ai de la veine !... Je n'ai pas pu rentrer dans le silence ; la trappe s'est refermée trop vite...

LE CHAT.

La mienne aussi... Que va-t-il arriver ?... Est-ce que c'est dangereux ?

LA FÉE.

Mon Dieu, je dois vous dire la vérité : tous ceux qui accompagneront les deux enfants mourront à la fin du voyage...

LE CHAT.

Et ceux qui ne les accompagneront pas ?...

LA FÉE.

Ils survivront quelques minutes...

LE CHAT, *au Chien.*

Viens, rentrons dans la trappe...

LE CHIEN.

Non, non !... Je ne veux pas !... Je veux accompagner le petit dieu !... Je veux lui parler tout le temps !...

LE CHAT.

Imbécile !...

(On heurte encore à la porte).

LE PAIN, *pleurant à chaudes larmes.*

Je ne veux pas mourir à la fin du voyage !... Je
veux rentrer tout de suite dans ma huche !...

LE FEU, *qui n'a cessé de parcourir vertigineusement
la pièce en poussant des sifflements d'angoisse.*

Je ne trouve plus ma cheminée !...

L'EAU, *qui tente vainement de rentrer dans le robinet.*

Je ne peux plus rentrer dans le robinet !...

LE SUCRE, *qui s'agite autour de son enveloppe de papier.*

J'ai crevé mon papier d'emballage !...

LE LAIT, *lymphatique et pudibond.*

On a cassé mon petit pot !...

LA FÉE.

Sont-ils bêtes, mon Dieu !... Sont-ils bêtes et pol-
trons !... Vous aimeriez donc mieux continuer de
vivre dans vos vilaines boîtes, dans vos trappes et
dans vos robinets que d'accompagner les enfants qui
vont chercher l'oiseau ?...

TOUS, *à l'exception du Chien et de la Lumière.*

Oui ! oui ! Tout de suite !... Mon robinet !... Ma
huche !... Ma cheminée !... Ma trappe !...

LA FÉE, *à la Lumière qui regarde rêveusement les
débris de sa lampe.*

Et toi, la Lumière, qu'en dis-tu ?...

LA LUMIÈRE.

J'accompagnerai les enfants...

LE CHIEN, *hurlant de joie.*

Moi aussi ! moi aussi !

LA FÉE.

Voilà qui est des mieux. Du reste, il est trop tard pour reculer ; vous n'avez plus le choix, vous sortirez tous avec nous... Mais toi, le Feu, ne t'approche de personne, toi, le Chien, ne taquine pas le Chat, et toi, l'Eau, tiens-toi droite et tâche de ne pas couler partout...

(Des coups violents sont encore frappés à la porte de droite.)

TYLTYL, *écoutant.*

C'est encore papa !... Cette fois il se lève je l'entends marcher...

LA FÉE.

Sortons par la fenêtre... Vous viendrez tous chez moi, où j'habillerai convenablement les animaux et les phénomènes... (*Au Pain.*) Toi, le Pain, prends la cage dans laquelle on mettra l'Oiseau-Bleu... Tu en auras la garde... Vite, vite, ne perdons pas de temps.

(La fenêtre s'allonge brusquement, comme une porte. Ils sortent tous, après quoi la fenêtre reprend sa forme primitive et se referme innocemment. La chambre est redevenue obscure, et les deux petits lits sont plongés dans l'ombre. La porte à droite s'entr'ouvre, et dans l'entre-bâillement paraissent les têtes du père et de la mère Tyl).

LE PÈRE TYL.

Ce n'était rien... C'est le grillon qui chante...

LA MÈRE TYL.

Tu les vois ?...

LE PÈRE TYL.

Bien sûr... Ils dorment tranquillement...

LA MÈRE TYL,

Je les entends respirer...

(La porte se referme).

COLLECTION NELSON.

————

Chefs-d'œuvre de la littérature.

————

Chaque volume contient de
250 à 550 pages.

————

Format commode.

Impression en caractères très lisibles
sur papier de luxe.

Illustrations hors texte.

Reliure aussi solide qu'élégante.

————

Deux volumes par mois.

COLLECTION NELSON.

*Les volumes suivants paraîtront dans
le courant de l'année* 1910:

MAURICE MAETERLINCK. — Morceaux choisis. Avec une Introduction par Mme Georgette Leblanc-Maeterlinck.

PAUL BOURGET (*de l'Académie française*).— **Le Disciple.**

HENRY BORDEAUX. — Les Roquevillard. Introduction par Firmin Roz.

ARTHUR-LÉVY. — Napoléon intime. Introduction par François Coppée.

Vte G. D'AVENEL. — Les Français de mon temps. (8e Édition.) Introduction par Charles Sarolea.

VICTOR CHERBULIEZ (*de l'Académie française*). **— Le comte Kostia.** Introduction par M. Wilmotte.

EDMOND ABOUT. — Les Mariages de Paris. (89e Édition.) Introduction par Adolphe Brisson.

PETITE ANTHOLOGIE des Poètes français.

N.B. — Deux volumes paraîtront simultanément le premier mercredi de chaque mois.

COLLECTION NELSON

---·---

LA CAMPAGNE DE RUSSIE. Par le général comte Philippe de Ségur. Introduction par le vicomte E.-M. de Vogüé.

GÉNÉRAL COMTE PH. DE SÉGUR.

LA destinée de certains livres célèbres est aussi bizarre que celle de certains hommes illustres. *La Campagne de Russie* de Ségur en est un mémorable exemple. La publication de l'ouvrage en 1824 fut une date littéraire. Il eut d'innombrables éditions et fut traduit dans toutes les langues. Cinquante ans plus tard, en 1873, c'est-à-dire à une époque où le nom même de Napoléon était l'objet de l'exécration des Français, le vieillard nonagénaire fit paraître ses *Mémoires* en huit volumes, en y incorporant l'œuvre de sa jeunesse. Les *Mémoires* passèrent inaperçus au milieu de l'indifférence générale.

Les générations nouvelles qui se passionnent pour tout ce qui touche à Napoléon rendront justice à l'œuvre de Ségur et la remettront à son rang qui doit être le premier. *La Campagne de Russie*, narration par un témoin oculaire, aide de camp de l'Empereur, d'une des catastrophes les plus épouvantables de l'histoire, deviendra un des classiques de la littérature napoléonienne. Tels épisodes, l'incendie de Moscou, le passage de la Bérésina, sont d'une saisissante beauté. Car cet historien est un merveilleux écrivain. Le style a toutes les qualités que comporte le sujet, la vigueur, la concision, le nombre, le mouvement, l'ampleur. Un souffle d'épopée circule à travers les douze livres, il faudrait dire les douze chants qui divisent le récit, et de bons juges ont souscrit au jugement de Saint-René Taillandier dans son livre sur de Ségur : *La Campagne de Russie* est un des rares poèmes épiques de la littérature française.

LA PEAU DE CHAGRIN; LE CURÉ DE TOURS; LE COLONEL CHABERT. Par Honoré de Balzac. Introduction par Henri Mazel.

BALZAC.

Il n'y a pas de bibliothèque française contemporaine qui ne soit tenue d'honneur de se présenter au public sous le patronage de Balzac, comme il n'y a pas de bibliothèque anglaise qui ne soit obligée de se placer sous l'égide de Shakespeare. Une collection de romanciers français sans Balzac, serait comme la tragédie de Hamlet dont on aurait éliminé le personnage de Hamlet. C'est qu'aussi bien Balzac reste, malgré tous ses défauts, le maître souverain, l'ancêtre, le géant, " *le Napoléon de la littérature*," comme il se dénommait lui-même modestement, le créateur inlassable qui a mis au monde et jeté dans la circulation universelle toute une humanité grouillante et si vivante qu'elle "fait concurrence à l'état civil."

Le premier volume de Balzac que publie la " Collection Nelson" contient une trilogie de chefs-d'œuvre qui révèlent les aspects multiples de ce génie protéiforme. *Peau de Chagrin*, c'est le grand roman philosophique dans son ampleur et toute sa puissance. *Le Curé de Tours*, c'est le roman ramassé en un vigoureux raccourci. *Le colonel Chabert*, c'est la petite nouvelle, le camée littéraire où Balzac n'a été égalé que par Maupassant. Jamais autant de richesses n'avaient été condensées en dimensions aussi réduites qu'en ce petit volume qui donne des exemplaires achevés de chacune des trois formes littéraires qu'a revêtues l'art de Balzac. Aussi cette édition mérite-t-elle de devenir le bréviaire de tous les Balzaciens.

INTRODUCTION À LA VIE DÉVOTE.
Par S. François de Sales. Avec une Introduction par Henry Bordeaux.

S. FRANÇOIS DE SALES.

L'*Introduction à la Vie dévote* que M. Henry Bordeaux présente aux lecteurs de la "Collection Nelson," est le livre de dévotion à la fois le plus populaire et le plus littéraire de la langue française. Saint François était de son temps un grand convertisseur de huguenots, et sa piété aimable, sa charité ardente, sa méthode persuasive s'inspirant des méthodes indulgentes des jésuites, ont ramené au bercail d'innombrables hérétiques. Le saint ne trouverait plus aujourd'hui de huguenots à convertir, mais le charme de sa personnalité continue d'agir et ses livres, dont on publiait récemment à

Annecy une édition monumentale, n'ont jamais eu plus de lecteurs qu'aujourd'hui. C'est qu'après trois siècles, l'*Introduction à la Vie dévote* n'a rien perdu de sa fraîcheur et de sa grâce spirituelle. Comme du bon vieux vin, ce beau livre de piété a gagné avec l'âge en bouquet et en parfum. Comme le dit M. Doumic, "saint François parle la langue française la plus claire et la plus moderne." C'est à peine si un lecteur avisé apercevra quelques traces d'archaïsmes qui donnent au style poétique et pittoresque une saveur de plus. D'ailleurs, pas n'est besoin d'être dévot pour goûter un saint François ou un Pascal. Même pour des incroyants, l'*Introduction à la Vie dévote* pourra remplir cet office si nécessaire à notre époque tourmentée et fiévreuse d'être le parfait manuel de la vie intérieure que des lettrés placeront dans leur bibliothèque à côté du *Trésor des humbles* de Maeterlinck.

LETTRES DE MON MOULIN. Par **Alphonse Daudet.** Introduction par Charles Sarolea.

ALPHONSE DAUDET.

L'ART de conter est un art tout français et en France nul n'excelle dans cet art comme les Méridionaux, et parmi les Méridionaux nul conteur n'a atteint la maîtrise d'Alphonse Daudet, et parmi les œuvres de Daudet nulle n'est comparable aux *Lettres de mon moulin*. Les *Lettres de mon moulin*, c'est la Provence tout entière, son atmosphère, sa lumière, sa couleur, ses parfums,

la Provence d'aujourd'hui et la Provence du bon
Roi René et la Provence des Papes, le plus beau
royaume que Dieu ait jamais créé, après son
royaume du ciel. Les *Lettres de mon moulin*,
c'est surtout l'âme provençale, l'esprit de la race,
ses qualités et ses défauts, ses souvenirs et ses
traditions, son imagination exubérante, sa faconde,
sa gaîté pétillante et, tout à la fois, sa mesure, sa
sobriété, son eurythmie classique. Ce livre si
provençal, si original, si plein de couleur locale,
écrit par le compatriote de Tartarin et de Mistral,
est devenu le livre de tous les âges et de tous les
pays, délice des enfants, régal des vieillards, livre
vraiment classique et universel.

◆◆

**MON ONCLE ET MON CURÉ. Par Jean
de la Brète.** Introduction par Mme Félix-
Faure-Goyau.

JEAN DE LA BRÈTE.

Le roman de Jean de la Brète, pseudonyme mas-
culin que trahissent des qualités toutes féminines
de finesse et de délicatesse, a été l'un des gros succès
littéraires de notre génération ; 160 éditions ont été
enlevées en quelques années, phénomène unique
peut-être dans les annales de la librairie française.

Ce triomphe est d'autant plus remarquable
qu'on ne saurait l'attribuer à aucun mérite adven-
tice, à aucun hasard de fortune. Le livre a fait
son chemin tout seul et s'est imposé par ses seules
qualités intrinsèques. Le roman ne contient
aucune scène " réaliste," aucune aventure " pas-

sionnelle," aucun élément sensationnel, aucune ficelle de mélodrame. C'est une histoire d'amour toute simple, tout unie, mais cette histoire est contée avec une telle justesse d'analyse, avec un tel charme de style, avec une naïveté si raffinée et une candeur si subtile qu'elle a d'emblée conquis le public. Elle a gardé sa place — une place sûre et discrète — dans toutes les bibliothèques familiales.

LES MORTS QUI PARLENT. Par le Vte E.-M. de Vogüé. Introduction par Victor Giraud.

Vte E.-M. DE VOGÜÉ.

M. DE VOGÜÉ a eu dans sa vie une aventure ; comme la plupart des grands poètes français du XIXe siècle, comme Chateaubriand, comme Hugo, comme Lamartine, il a voulu jouer un rôle politique. Grand seigneur rallié, il a accepté la République, mais la République ne l'a pas accepté. Il est entré au Palais-Bourbon plein de bonne volonté, et l'a quitté plein de dégoût. Et parmi les triomphes de sa carrière littéraire, son expérience politique lui a été amère.

Et cependant par la mystérieuse alchimie du génie, M. de Vogüé, de cette amertume, de ses déboires, de ses déceptions, de ses indignations, a su tirer le chef-d'œuvre : *Les Morts qui parlent.* En une succession de tableaux d'une vie et d'une vigueur admirables, en une collection de portraits d'une vérité et d'un relief saisissants, l'auteur nous fait connaître les coulisses du Palais-Bourbon sous la troisième République. Et, aux intrigues politiques il a mêlé avec un art très ingénieux une intrigue amoureuse, les amours du chef socialiste juif et de la princesse russe. Et autour des héros du roman se meut toute une plèbe de politiciens qui semblent n'écouter que leurs passions et leurs intérêts, mais qui en réalité ne font qu'obéir à leurs instincts ataviques, à la mystérieuse voix de l'hérédité : *Ce sont les Morts qui parlent.* Roman philosophique, roman satirique, le livre a suscité d'ardentes controverses. Nul ne contestera sa haute valeur littéraire : en politique, M. de Vogüé a d'irréconciliables adversaires, dans le domaine de l'art il n'a que des admirateurs.

◆

ANNA KARÉNINE. Par Léon Tolstoi.
Introduction par Émile Faguet. (Deux volumes.) ───────

TOLSTOI.

Anna Karénine n'est pas seulement, suivant l'expression de M. Faguet, " le roman du siècle " et la tragédie éternelle de l'amour coupable ; l'œuvre du prophète de Iasnaïa-Poliana marque l'apogée et la perfection d'un genre littéraire au delà de laquelle on n'aperçoit plus rien. Jamais romancier n'avait atteint à ces altitudes, ni Fielding dans *Tom Jones*, ni Balzac dans *le Cousin Pons*, ni Flaubert dans *Madame Bovary*. Tous les critiques depuis de Vogüé jusqu'à Brandès, en parlant d'*Anna*

Karénine, ont épuisé la gamme des épithètes laudatives et superlatives. Et tous ces superlatifs se résument en ceci, qu'*Anna Karénine* ce n'est plus de l'art, ce n'est plus la représentation de la vie, c'est la vie même, la vie humaine palpitante et frémissante, et non pas seulement la vie extérieure, mais la vie intérieure, la vie mystérieuse de l'âme. Non pas même Shakespeare n'a sondé le cœur humain à ces profondeurs, n'a analysé le mécanisme et le jeu délié des passions avec cette science infaillible, et n'a su dégager des passions, de leurs errements, de leurs sophismes, de leurs souffrances, la moralité qu'elles contiennent et suggèrent.

Et n'oublions pas aussi qu'*Anna Karénine* marque l'entrée triomphale de la littérature russe dans notre culture européenne. Nulle œuvre russe ne nous fait mieux sentir et pressentir tout ce que nous apporte de dons nouveaux et inappréciables, tout ce que contient de promesses et d'avenir, cette mystérieuse et fatidique race slave que notre orgueil et notre ignorance se complaisent à reléguer dans ses steppes et dans la barbarie.

***

LES ROQUEVILLARD. Par Henry Bordeaux. Introduction par Firmin Roz.

HENRY BORDEAUX.

Les Roquevillard sont un roman à thèse, un plaidoyer en faveur de la tradition ; ils sont le roman de la solidarité familiale. C'est l'égoisme d'une passion aveugle qui fait oublier au fils les

affections les plus chères et les devoirs les plus
sacrés ; c'est la passion qui l'entraîne au bord de
l'abime et le traîne, quoique juridiquement innocent, devant le tribunal criminel. C'est au contraire l'amour paternel et l'instinct familial qui
inspire au père les sacrifices les plus héroïques
et lui permet de sauver le patrimoine d'honneur
de plusieurs générations de Roquevillard. *Les
Roquevillard* dans l'estimation de très bons juges
comme Melchior de Vogüé, sont le chef-d'œuvre
de M. Henry Bordeaux. Il est certain qu'on y
trouve toutes les qualités qui ont assuré la triomphe
de *La Peur de vivre* et *Les Yeux qui s'ouvrent*:
l'art de nouer et de dénouer un récit, le sens de la
composition, du dialogue, l'observation minutieuse
de la vie et surtout la haute inspiration morale.
Ce sont tous ces dons qu'on admire dans *Les
Roquevillard* qui ont fait du jeune romancier
savoyard l'émule de M. René Bazin.

NAPOLÉON INTIME. Par Arthur-Lévy.
Introduction par François Coppée.

ARTHUR-LÉVY.

PARMI les innombrables livres qu'avait suscités,
avant M. Lévy, la personnalité de Napoléon, presque
tous s'étaient ingéniés à nous faire connaître le
conquérant, l'homme d'État, le législateur, ou à
nous retracer l'un des innombrables épisodes de
cette épopée sans égale dans l'histoire. Aucun
écrivain ne s'était efforcé de retrouver l'homme
privé derrière l'homme public et à expliquer celui-

ci par celui-là, pour la très simple raison que tous
se représentaient Napoléon moins comme un homme
réel, agissant d'après les lois et les mobiles ordinaires de l'humanité, que comme un " sur-homme,"
un titan, un monstre prodigieux et inexplicable.
M. Arthur Lévy, le premier, s'est attaché à révéler
le " Napoléon intime " familial. Et en lisant le
livre on est tout surpris de découvrir sous le
Napoléon de la légende un Napoléon inconnu, un
Napoléon bourgeois, bon fils, époux aimant, frère
dévoué, et le modèle de toutes les vertus domes-
tiques. Et surtout M. Lévy réussit à nous dé-
montrer que si Napoléon a triomphé là où tout
autre que lui aurait échoué, ce n'est pas parce
qu'il a été un être d'exception, un condottiere
italien, mais parce qu'il a possédé intégralement
et souverainement les qualités purement humaines
d'intelligence, de cœur et de volonté, que nous
possédons tous à un moindre degré. Là est
l'intérêt, l'originalité et la valeur morale du livre
de M. Lévy.

LE COMTE KOSTIA. Par Victor Cher-
buliez. Introduction par M. Wilmotte.

CHERBULIEZ.

On oublie trop à l'étranger et même en France
que les frontières littéraires de la France sont plus
vastes que ses frontières politiques, que, même de
nos jours, le Canada français a produit un Fré-
chette, que la Belgique française a produit un

Rodenbach et un Maeterlinck, que la Suisse française a produit un Rod et un Cherbuliez.

L'œuvre de Cherbuliez a été, certes, l'un des apports les plus précieux de la Suisse romane à la culture française, et aucun écrivain n'a été plus français que ce Genevois, plus clair, plus vif, plus spirituel, plus prime-sautier, plus universel. Les récits de Cherbuliez et les études de " Valbert " ont pendant trente ans charmé, sans les lasser, les lecteurs de la *Revue des Deux Mondes*. Et à notre époque, rassasiée de romans pessimistes, de romans morbides et de romans psychologiques, c'est une surprise et une joie de relire le roman de Cherbuliez parfaitement honnête et simplement romanesque, qui se contente de conter une histoire d'amour ou de développer une intrigue ou une aventure : surprise d'autant plus joyeuse que ce roman romanesque est écrit par un des esprits les plus prodigieusement intelligents, est rempli d'aperçus pénétrants sur la vie, d'observation et d'analyses délicates.

Le comte Kostia est peut-être le chef-d'œuvre de Cherbuliez. On y trouve toutes ses qualités et tous ses traits caractéristiques : l'art de nouer et de dénouer une intrigue compliquée, et surtout ce don d'humour, de bonne humeur, de badinage mêlé de malice, de bonne santé intellectuelle et morale qui nous reposent de la littérature épicée et artificielle de la nouvelle génération.

LES FRANÇAIS DE MON TEMPS. Par le Vᵗᵉ G. d'Avenel. Introduction par Charles Sarolea.

Vᵗᵉ GEORGES D'AVENEL.

Le Vᵗᵉ G. d'Avenel s'est proposé de nous donner le portrait des Français de son temps. Nul ne contestera le brillant talent du peintre. On contestera peut-être que le portrait soit ressemblant. On n'accusera certes pas M. d'Avenel d'avoir flatté ou idéalisé l'original, et d'avoir péché par excès d'indulgence pour ses contemporains. Né chrétien et Français, M. d'Avenel ne se trouve nullement, comme La Bruyère, contraint dans sa satire. Au contraire, il s'y complaît et s'y délecte, et il a tant d'esprit qu'il communique à ses lecteurs le plaisir qu'il éprouve. Sa verve mordante s'exerce d'ailleurs avec une sereine et malicieuse impartialité au dépens de ses adversaires politiques et du monde auquel il appartient de naissance. Et comme il a admirablement observé les politiciens parasitaires et la noblesse de parade, les deux chapitres où il nous décrit leurs mœurs sont frappants de vérité et de relief : ce sont les meilleurs du livre.

Le livre a eu un succès éclatant, qu'il a dû d'abord aux controverses qu'il a suscitées. Et ce succès ne fera que s'accentuer à mesure qu'on appréciera davantage les qualités intrinsèques et durables de l'œuvre.

L'œuvre restera parce qu'elle est d'un maître écrivain et d'un moraliste profond et pénétrant.

M. d'Avenel s'est évidemment inspiré de La
Bruyère et fait souvent songer à son immortel
modèle. Et le plus bel éloge que nous puissions
faire du livre, c'est qu'il puisse, sans désavantage,
soutenir une aussi redoutable comparaison.

LE DISCIPLE. Paul Bourget.

PAUL BOURGET.

Le Disciple fait époque dans l'histoire du roman
contemporain. Il a été dès son apparition l'objet
de discussions passionnées et l'occasion d'un débat
célèbre entre Brunetière et Anatole France. Il
marque la fin du naturalisme et de la " littérature
brutale." Il inaugure la renaissance de l'idéa-
lisme.

L'auteur examine dans quelle mesure un
philosophe doit être tenu pour responsable des
conséquences immorales que ses disciples peuvent
déduire de sa doctrine. La thèse de la responsa-
bilité que défend M. Bourget est aussi ancienne
que la philosophie elle-même et l'auteur en faisant
le procès de M. Sixte semble refaire le procès de
Socrate et justifier sa condamnation. On peut
ne pas partager l'avis de l'auteur, on peut même
affirmer que M. Sixte est aussi innocent des aventures amoureuses et du crime de son " disciple,"
que Socrate lui-même l'était des crimes d'Alci-
biade. Que l'on soit ou non d'accord avec
Bourget, la valeur du roman reste la même. Par
l'intérêt passionnant du récit, par la profondeur

et la finesse de l'analyse, par la haute inspiration morale, ce roman à thèse reste le chef d'œuvre de l'auteur. Comme le disait Brunetière à l'apparition du livre, *Le Disciple* n'est pas seulement une belle œuvre littéraire, il est une bonne action.

LES MARIAGES DE PARIS. Par Edmond About. Introduction par Adolphe Brisson.

EDMOND ABOUT.

EDMOND ABOUT a tenu une place considérable dans l'histoire littéraire du second Empire et de la troisième République. A la fois moraliste, historien, dramaturge, et surtout journaliste et romancier, il s'est essayé, et toujours avec succès dans les genres les plus diverse. On a souvent comparé l'auteur du *Roi des Montagnes* et de la *Question romaine* à Voltaire. Et en effet il rappelle Voltaire par sa langue précise, rapide et limpide, par sa versatilité, par sa vivacité, par son esprit endiablé, par sa verve aggressive, verve toujours tempérée par un bon sens bourgeois et le sens de la mesure.

Aucun des livres d'About, plus que *Les Mariages de Paris*, ne révèle les qualités maîtresses de cet étonnant improvisateur. Il faut ajouter que *Les Mariages de Paris* ne sont pas déparés par les défauts qui souvent accompagnent l'improvisation. Il y a tout lieu d'espérer que dans cette édition nouvelle, cet admirable recueil de récits *qui peut être mis entre toutes les mains* reconquerra l'immense popularité qui accueillit l'ouvrage à son apparition.

PETITE ANTHOLOGIE DES POÈTES FRANÇAIS.

La *Petite Anthologie des Poètes Lyriques* vient combler une lacune fâcheuse dans la littérature. On avait publié jusqu'ici d'innombrables anthologies pour les écoles, " ad usum Delphini." On attendait encore une " anthologie de poche " qui ne fût pas inspirée exclusivement par des nécessités pédagogiques et qui s'addressât au grand public à qui l'école n'a pas fait perdre la passion des beaux vers. La *Petite Anthologie* condense en un petit volume et enferme comme dans un écrin les chefs d'œuvre les plus universellement aimés de la poésie lyrique depuis Villon jusqu'à Musset. Elle sera pour le lecteur français ce que le célèbre recueil de Palgrave, le *Golden Treasury*, est depuis deux générations pour le lecteur anglais. Il sera le compagnon fidèle des promenades champêtres et l'inspiration des méditations solitaires.

NELSON, EDITEURS,
61, rue des Saints-Pères, Paris.